サピエンスの未来

伝説の東大講義

立花 隆

講談社現代新書

2605

解説　不安な時代の知の羅針盤

緑　慎也

本書は、東京大学教養学部で一九九六年の夏学期に行われた「人間の現在」を元にした講義録である。

初回の講義の光景は、いまも目に焼き付いている。三五〇の座席の他、階段部分、壇上の前など地べたにそのまま座る学生もいた。五〇〇人はいただろう。人いきれでむせかえるとはまさにこのことかと思った。ある程度の混雑を予想した私は小賢しくも、あまり興味のなかったその直前の講義に出て、階段教室の真ん中あたりの座席を確保していた。

講師は上手のドアから教室に入ると、人混みをかき分けて演壇の前まで進み、大型のキャリーバッグから次々と本を演壇に積み上げた。講義に参加する学生数は、その後、回を重ねるにつれて少しずつ減ったが、大量の本を取り出す姿は、ずっと変わらなかった。当時、キャリーバッグをガラガラ鳴らせて都内を闊歩する人は珍しかったはずだ。爆買いの旅行者があちこちに現れるのはもっと後である。

講師は「この本を知っているか」「この思想家を知っているか」と授業中に学生にしばしば訊ね、手を挙げさせた。挙手するものがいないと「これくらい知っておかないと恥をかくよ」と露骨に刺激したものだ。後から聞けば、元々若者を嫌っていたらしい。学生に嫌われないようにといった気遣いは最初からなかったわけだ。

講義も、学生の顔色をうかがわず、講師の話したいことを好きなだけ話すというスタイルで進められた。毎週木曜日の午後四時二〇分に開始して規定の五時五〇分で終わることはまずなく、七時、八時まで講義は続けられた。九時を回って守衛に教室を追い出されたことも何度かあった。

学生に挑発的で、定刻も無視する。それでも八〇人程度の学生が夏学期の終わりまで残ったのは、やはり講義が面白かったからだろう。

講義「人間の現在」の内容を予告するシラバス（課程科目紹介）には次のように記されている。

「人間はどこからきて、どこに行こうとしているのか。マクロに見た人類史の総括。自然の中の人間の位置づけ。エコロジーとエコノミー。ポリス的動物としての人間の歴史。人類社会の破綻要因の諸相。終末論の可能性とブレークスルーの可能性。テクノロジーの限界。現代知識社会の変貌と危機。パラダイムの転換。自然はどこまで経営可能か。生き方の問題。倫理学の再構築。大学は何を学ぶところか」
大風呂敷を広げたものである。しかし当時、こんな壮大な内容を掲げてもおかしくない、そして実際に語ってくれそうだと期待させる人物は、少なくとも筆者には、あの講師以外に想像できなかった。絶大な権勢を誇った首相の金脈を暴いた『田中角栄研究』、宇宙飛行士の内面の変化に迫った『宇宙からの帰還』、ヒトと動物の境界を霊長類学者との対話から浮かび上がらせた『サル学の現在』、死の定義を問い直して臓器移植論議に一石を投じた『脳死』、日本人初のノーベル生理学・医学賞を単独受賞した利根川進との二〇時間に及ぶ対話を通じて分子生物学の勃興から絶頂期までを描いた『精神と物質』などの著作を世に送り出した、立花隆の他には。

冒頭に述べたように本書は講義録だが、直接の元になったのは、講義そのものよりも新潮社の文芸誌「新潮」に一九九七年六月から二〇〇二年九月まで五七回に及んだ連載「東大講義『人間の現在』」の第一三回から第二五回である。なぜなら連載された内容のほうが講義よりも何倍も豊富だからだ。本書で数章にわたって取りあげられているテイヤール・ド・シャルダンについて、実際の講義では、時間にして三〇分程度しか話していなかったと思う。

第一回から第一二回までについてはすでに『脳を鍛える 東大講義 人間の現在①』として新潮社から刊行され、後に文庫化もされた（現在は絶版）。

同書で扱われるキーワードを羅列すると、脳科学、実存主義、宗教改革、相対性理論、対称性の破れ……と多岐にわたる。全体を要約するのは至難の業だが、あえて一言にまとめると、ヒトは二〇代前半をいかに過ごすべきか、となるだろう。立花さんは私たちに授業をサボれ、留年せよと、教師にはあるまじきアドバイスをくり出す一方、難解な本に挑戦せよ、辞典をまるごと読めと促した。文中のことばを使えば「人間二〇歳をすぎたら自分の脳には自分で責任を持て」。私は大学を二回留年した挙げ句に中退したが、その半分は自分のバイトと両立できなかったからで、もう半分は立花さんのアドバイスにそそのかされたからである。

同書の中で、私が最も立花さんらしいメッセージだと思うのは、「目の前のテーブルいっぱいに御馳走がならべられているからといって、むりして全部食べる必要はない」という一節である。つまり、本の内容をすべて理解する必要はなく、面白そうなところだけつまみ食いすればよいということだ。

第二巻に当たる本書についてもつまみ食いで構わないと思う。しかし、第一巻がオードブルなら、第二巻はメインディッシュであることを念頭に読み進めていただければと考えている。

第一巻では、若者の生き方を説く流れから自然に、後半のテーマは教育論が据えられた。そこで立花さんが選んだテキストは、C・P・スノー『二つの文化と科学革命』（みすず書房）だ。二つの文化とは、文系と理系の文化を指す。スノーは文系人間が理系人間をシェイクスピアを読んでいないとバカにする一方、理系人間は文系人間を熱力学第二法則も知らないとバカにするという例を出して、文系と理系の分断を嘆いた。

文系、理系の乖離は、まさに文系と理系の領域をまたぐ仕事をしてきた立花さんにとって切実なテーマだった。両者をどうつなげばよいのか。

そのヒントを求め、スノーから、生物学者で科学評論家のジュリアン・ハックスレー、そしてジュリアン・ハックスレーの友人の古生物学者で、北京原人の発見に関わったことでも知られるテイヤール・ド・シャルダンの著作を読み解いていったのが本書だ。人生の若者期に焦点を当てて人間の現在を語ったのが第一巻なら、テイヤール・ド・シャルダンに導かれる形で、進化史の中での人間を位置づけ、未来の姿を考察するのが、第二巻である。その未来への道程において人類は、全地球的な問題を重視する高次の意識でもって結合し、新しい人間主義を形成しなければならない。そしてそのためのステップとして、「べき乗でものを考えよ」「$2\frac{1}{2}$人間になってはいけない」などと立花さんはいう。視野のスケールを自由自在に変える能力と、多面的なものの見方を獲得せよということだ。

　そんな立花さんが論じてきたテーマは、物質、生命、脳、宇宙と多岐にわたる。それらが進化という統一的で、よりマクロな視点からまとめられているという点で、本書を立花さんの仕事の集大成と位置づけることも可能だ。

　気鋭の歴史学者ユヴァル・ノア・ハラリは、話題書『サピエンス全史』（河出書房新社）で、われわれホモ・サピエンスの繁栄の理由を脳の進化や言語の誕生などから論じ、次の『ホモ・デウス』（河出書房新社）では、人間至上主義の行き着く先として逆説的に人類が「超ホモ・サピエンス」（おそらくＡＩ）に覇権を譲り渡す未来像を提示した。私が両書を読んで真っ先に思い出したのは、立花さんを通じて知ったテイヤール・ド・シャルダンだった。

テイヤール・ド・シャルダンはイエズス会司祭でありながら、神が世界を作ったとするキリスト教の通説に従わず、ダーウィンの進化論について科学的な考察を深め、「精神圏（ヌースフィア）」という独特の概念を生み出し、その視点から、文明の来し方行く末を捉え直した。立花さん自身、無教会派キリスト教徒の両親の下に生まれ、キリスト教的な考えの呪縛から逃れるために若いころに悩み抜いた経験を持つからこそ、テイヤール・ド・シャルダンに惹かれたのだろう。

その思想は古びるどころか、いまますます輝きを増しているように思われる。一九九八年に書かれた文章だから、もちろん新型コロナウイルスは登場しない。しかし、ウイルスそのものの性質について考えたり、ウイルスが人類社会にもたらす影響について予想したりするとき、テイヤール・ド・シャルダンが到達した視点に立てば、かなり見通しがよくなるはずだ。

授業を受けた当時の学生の一人として、また、立花さんのスタッフとして取材に同行したり、資料収集を手伝ったりして近くにいた者として、かつての講義録の続きが出ることになって心底嬉しい。二〇〇〇年に発売された『脳を鍛える』の投げ込み特別付録には、何と第二巻が「近日刊行！」として第一巻の翌月に刊行予定であることが刻印されている。それから恐ろしいことに、二一年が経っている。その間、担当編集者や私が「東大講義の続きをそろそろ出して」と何度もお願いした。立花さんも原稿に手を入れ、刊行の一歩手前まで進んでいたが、他の連載の〆切に追われ、次々新たな仕事が舞い込む日々の中で、最後の踏ん切りをつけられずに年月が過ぎた。だが、数百万年に及ぶヒト科の歴史に比べれば、二一年の遅れなど誤差レベルといいたい。

むしろいま、刊行を決めた編集者に敬意を表する。私が立花さんの講義を受けた一九九〇年代の後半、日本はバブル崩壊、阪神・淡路大震災、オウム真理教による地下鉄サリン事件などに揺れに揺れ、それ以前の価値観、世界観はもう通じないのではないかという不安に覆われていた。私が体験した「人間の現在」講義の熱気は、その反映だった。世界がいま抱える不安の種類は昔とは違う。だが、マクロな視点からの羅針盤が必要とされているのは間違いない。

（みどり　しんや・フリーライター／元立花ゼミ生）

目次

第一二章 全人類の共同事業 365

はじめに

世界のすべては進化の過程にある

この本で言わんとしていることを一言で要約するなら、「すべてを進化の相の下に見よ」ということである。「進化の相の下に見る」とはどういうことかについては、本文で詳しく説明しているが、最初に簡単に解説を付け加えておこう。

世界のすべては進化の過程にある。一般に進化というと、生物進化のことだと思われがちだが、進化するものは生物だけではない。万物が進化するのだ。物質も進化する。物質が進化したからこそ、生命も誕生したのである。宇宙も進化した。宇宙が進化したからこそ、宇宙はビッグ・バン時代のままにとどまらず、銀河系が生まれ、太陽系が生まれ、地球が生まれたのである。人間社会も進化してきた。だから、この地球のほとんどどこでも、古代専制国家はなくなり、奴隷制社会はなくなり、封建主義国家もなくなっている。あるいは、人間が使う技術も進化してきた。旧石器時代は新石器時代となり、土器が使われる時代になり、青銅器、鉄器の金属器を使う文明の時代がはじまった。

文明史とは、ある意味で技術史であり、技術史をひもとくと、技術はあらゆる側面において進化をとげてきたことがわかる。たとえば、約一万年前の農業のはじまり（農業革命）以後、農業技術が、道具の発達、耕作法、肥料、農薬、種の改良など、周辺技術の進歩にともなってどんどん進化し、生産効率が大幅に上がった。それによって、農業がはじまる前の世界人口はわずか五〇〇万～六〇〇〇万人程度にすぎなかったのに、いまや、その一〇〇〇倍以上の約六〇億人（一九九八年当時。以下同）分の食糧を作り出すことを可能にしている。

動力源が人力、畜力、風力、水力などの自然エネルギーから蒸気機関、内燃機関などに進化したとき、動力機械の時代（産業革命）がはじまり、それが産業の様相も生活の様相も、社会のあり方も一変させてしまった。間もなく電気の時代がはじまり、やがて電気がもっぱらパワー源として利用される強電の時代から、電気回路、電子回路として利用される弱電の時代に進化すると、それによって実現される機械の精緻な制御が再び産業も生活も一変させた。電子回路がコンピュータを生み、コンピュータが単なる計算機械から、あらゆる情報を処理する総合情報マシーンに進化したとき、情報革命の時代がはじまり、人間社会のあり方は再び一変しつつある。通信システムも輸送システムも情報化され、産業全体、都市システム全体が情報化されつつある。

人類の未来の方向性をさぐる

世界はこのあと、どちらの方向に進化していくのか。

世界を進化の相の下に見るということは、未来の方向性をさぐるということでもある。進化は絶えざる変化の蓄積の上に生まれるものではあるが、変化と本質的にちがうところは、それが線形の変化ではなく、非線形の変化を生むということである。進化は evolution（旋回）であり、変化の上に変化が積み上がる形でスパイラルに蓄積されていく。それはやがて一つの方向性を持つようになる。その過程で変化はアキュミュレート（累積）していき、線形の変化ではないべき乗の変化がひき起される。そうなると、その変化の方向性は簡単には読めなくなる。線形の変化なら、過去を未来に引き伸ばしてみるだけの外挿法（extrapolation）によって未来は容易に予想がつくが、ある日、外挿法では予測もつかない非線形の大変化が突然招来され、世界の様相が一変する。それが進化の本質である。

世界を進化の相の下に見るということは、そのようなありうべき未来の大変化を視野にいれて、現代世界のあらゆる様相のベクトルをにらみつつ、進化の現段階がいまどこまで来ていて、どちらの方向に向かおうとしているのかを慎重に推測して、未来に備えるということである。

いずれにしても、進化は世代交代の上に進行するプロセスだから、長い時間がかかる。典型的なプロセスは次のように進行する。一つの再生産系において、一回の再生産(一世代)ごとに少しずつ変異が蓄積していき、その蓄積が一定のリミットを超えたときに、形質を全く変えてしまうような大変化が起こる。形質を変化させたもの同士が激しい生存競争を展開し、勝ち残ったものは次の再生産で子孫をふやして繁栄し、敗北したものは再生産できずに消えていく(あるいは個体数を大きく減らして細々と生きていく)。進化のワンステップにどれくらいの時間がかかるかは、一世代の長さと一世代に蓄積される変異の量次第だから、一概にはいえない。また、何種類かの形質変化者が出そろったとき、生存競争で雌雄が決されるまでの時間とか、一次の決戦では敗者になっても、しぶとく生き残って、それなりの再生産に成功する者の比率など不確定の要因がたくさんある。その要因がみな、単純な予測を許さないから、そう簡単に未来を語ることはできない。

このような進化のプロセスを語るとき、我々はつい生物進化中心に考えてしまい、進化などという超ロングのタイムスケールで起こる現象は、生身の我々には無縁の現象と思いがちだが、進化論的現象は我々の周辺でもいたるところで起きている。たとえば、経済社会における企業の興亡史や、さまざまな商品の間の激しい市場争奪戦にしても、そこに見られるのは、進化論的現象そのものである。政治の世界においても、文化の世界においても、学問世界においても、同様の現象が見られる。そこに同じリソースを取りあう幾つかのグループがあり、グループ間で世代を超えての争いが展開されるとき、その帰趨（きすう）によって、各グループの消長が大きく決定される。するとそこには必ず進化論的現象が生まれ、興亡史が帰結する。

そういう意味において、進化の相の下に見るという見方は、あらゆる局面においてあらゆるものを対象に可能であるし、また、ちょっと長いタイムスパンでものを見ようと思ったら、必ず必要なことでもある。進化論的ものの見方をすることではじめて見えてくるものがそれぞれに必ずあるだろうが、やはり我々人間にとっていちばん大きな関心を持たざるをえないのは、人類という種にとってこれからどのような進化論的未来が待っているのかということだろう。

我々はいま確かに進化の産物としてここにいる。そして、我々の未来も進化論的に展開していくのである。

我々がどこから来てどこに行こうとしているのかは、進化論的にしか語ることができない。もちろん、それが具体的にどのようなものになろうとしているのかなどといったことは、まだ語るべくもないが、どのような語りがありうるのかといったら、進化論的に語るしかない。

そして、人類の進化論的未来を語るなら、たかだか数年で世代交代を繰り返している産業社会の企業の未来や商品の未来などとちがって、少なくも数万年の未来を視野において語らなければならない。人類の歴史を過去にたどるとき、ホモ属という属のレベルの歴史をたどるなら、一〇〇万年以上過去にさかのぼらねばならない。ホモ属でいちばん古い種であるホモ・ハビリスは二五〇万年前から一五〇万年前にかけて生きていた（以下、年代はいずれもかなり大ざっぱな推定になる）。次に古いホモ・エレクトゥス（原人）は、一六〇万年前から、二〇万年前くらいまで生きていた。ホモ・サピエンスが登場するのはその次で、はじめの登場者が旧人（ネアンデルタール人）、次の登場者が新人（クロマニヨン人など）で、新人が我々の直接の祖先とされる。旧人は二〇万～三〇万年前から四万年くらい前まで生きていたと考えられ、新人の登場は、四万年前以後と考えられている。石器時代の区分でいうと、前期旧石器時代が原人の時代、中期旧石器が旧人の時代、後期旧石器以後が新人の時代である。

つまり、人類史を我々に直接つながる祖先のところまでたどろうとすると、少なくも四万年くらいは過去にさかのぼらねばならないのである。我々現生人類が、この先どれくらいの未来を持っているかを考えようとすると、不確定性要因が多すぎてまだ全く予想がつかないが（極端な見解としては一世紀ももたないだろうとする説もある）、取りあえず、新人（ホモ・サピエンス・サピエンス）の出発時点からここまでの時間ぐらい（約四万年）はいけるだろうと、あまり根拠を持たない希望的観測をもとにいわれている。期待値をいわせてもらえば、まあ、これから数万年はいけるのではないだろうか。しかし、数万年という時間は、気が遠くなるほど長い。このような想像を絶するほど先の未来を考えるには、どうすればよいのか。

本書では、ジュリアン・ハックスレーやテイヤール・ド・シャルダンといったユニークな思想家の発想を手がかりとして、そこを考えてみたいと思っている。

第一章　すべてを進化の相の下に見る

世界をダイナミズムの相の下に見る

ぼくがジュリアン・ハックスレー[1]にこだわっているのは、この「人間の現在」という授業でぼくがやろうとしていることが、ハックスレーがここで考えていることと、非常に近いところにあるからです。ハックスレーが何を考えていたかというと、進化という概念を中心にすえてものを見ていくと、この世界が統一的にとらえられる、ということです。「この宇宙全体が、単一の進化の過程にある」というのが、彼の基本的な考えなんです。

彼はこういう考えを、論文「二つの文化と教育」(C・P・スノー『二つの文化と科学革命』第三版、松井巻之助訳、みすず書房所収)の他、いろんなところで表明しています。そして、そういうものの見方をさして、「すべてを進化の相の下に見る」見方であるといっています。「進化の相の下に」ということを、ラテン語を使って、"sub specie evolutionis" と表現していますが、これは、哲学史上非常に有名なことばのもじりなんです。何のもじりだかわかりますか?(手をあげた数人の一人に答えさせて)そう、スピノザ[2]の「永遠の相の下に[3](sub specie aeternitatis)」のもじりなんですね。

ぼくは、かつては、スピノザの「永遠の相の下に」という言葉がたいへん好きでして、この現世の下らない皮相の現象界から離れて、もっと本質的な問題を考えたいというときに、よくこの言葉を引用して文章を書いたりしたんですが、最近どうも、この「永遠の相の下に」世界を見る見方は、基本的に誤りであると考えるようになってきたんです。

世界の正しい見方は、時間軸を抜きにして「永遠の相の下に」世界を見、世界の不変性を知ることではなくて、時間軸を入れて、世界が絶えざる変化の状態にあることを知ること、すなわち世界を「ダイナミズムの相の下に」見ることではないかと思うようになってきたんです。「人間の現在」は、そういうダイナミズムの中でしかとら

（1）Julian Sorell Huxley（一八八七〜一九七五）　イギリスの生物学者。トーマス・ヘンリー・ハックスレーの孫。鳥類の行動学、進化論の「総合学説」の確立、相対成長の理論化など、多くの分野で指導的な役割を果たした。弟に作家のオルダス・レナード・ハックスレーがいる。

（2）Baruch de Spinoza（一六三二〜七七）　オランダの哲学者。ヨーロッパ哲学史上最大の形而上学体系の創始者。デカルトにおける物体と精神の二元論を統一しようとし、唯一無限の実体である神の限定された様態が思惟（心的現象）、および延長（物的現象）であるとした。

（3）神の視点に立ち、すべてを必然として認識すること。

えられないということです。進化というのは、時々刻々のダイナミズムの変化の積分みたいなものですから、ハックスレーがいっていることとぼくのいってることの間に基本的なちがいはありません。

世界の全体性の回復

ハックスレーは、C・P・スノー[4]が指摘した、文科系の文化とサイエンス系の文化の乖離という困った状況がたしかに存在すると認めます。そして、これまでも、そのギャップを何とか埋めようと、さまざまな教育改善策が提案され、試みられたが、どれもうまくいかなかったといいます。科学をやっていない人たちにもっと科学一般をわかりやすくしたコースをとらせようとか、サイエンス系の人たちに文学、美術、哲学などをもっとしっかり学ばせようとか、全員に科学史を学ばせるべきだとか、いろいろなプランはあったが、そういうものはどれも、うまくいったとしても、すでに分裂している二つのシステムの端っこに橋をかける程度の試みにしかならなかったではないか、と。

そして本当にやらなければならないのは、バラバラになってしまった知の世界に全体性を回復することではないのか、統一原理を求めることではないのか、といいます。

そういう全体性の回復は、人間という視点を中心に持ってくることによってのみ可能だとハックスレーはいいます。バラバラになってしまった文化のあらゆる側面をそこから統合することができるはずだといいます。

その統合のコアになるのが、進化という概念です。進化という概念を中心にこの世界を見ていけというわけです。そのとき、人間がこれまでにたどった運命と、これからたどるであろう人間の運命を中心に見ていけば、世界の総体が見えてくるはずだと。

この宇宙全体が、一つの壮大な進化の過程にあるとハックスレーはいいます。はじめは無機的な物質進化[5]があった。物質進化が生命を生むと、つづいて生命の進化がは

(4) Charles Percy Snow（一九〇五～八〇）　イギリスの物理学者。一九五九年に発表した『二つの文化と科学革命』で、自然科学、人文科学それぞれに属する人々の間に、コミュニケーションが成り立たないほどのギャップがあることを指摘し、大論争を巻き起こした。イギリス政府で要職を歴任する一方、多数の小説も発表した。

じまった。そして生命進化の頂点として人間が生まれ、次に人間の進化がはじまったというわけです。

猿人・原人・旧人から新人（クロマニヨン人）への進化はともかく、新人が出現して以後、ホモ・サピエンスに特段の進化は起きなかったではないかという人がいるかもしれません。形態的にはその通りです。しかし、人間の進化は、それまでの生物進化のように、人間の形態や機能が変化して、新人類あるいは超人類が生まれるという形はとらず、人間の精神的営みと社会的営みの変化という形をとるようになったと考えればいいわけです。この進化をハックスレーは、psychosocial（精神的社会的）な進化と呼んでいます。

このようにして、進化は、そのフェイズ（相）[6]を何度も変えてきたわけです。新しいフェイズは、その前のフェイズの進化の中から、創発的に生み出されます。創発（エマージャンス）というのは、進化論でよく使われることばで、それまでの進化の流れからは考えられないような飛躍的進化が起こることをいいます。それまでの進化が過去の延長の上に起きる、いわば線形の変化の積み重ねによる進化だとすれば、過去からは予測がつかない、突然の非線形の変化として起こる進化です。たとえば、物質進化の中から生命が誕生したり、生命進化の中から人間が誕生したりといったことがそれですが、それほどの大進化でなくても、進化の流れの中で創発的現象というのは、しょっちゅうではないけれど、何度も起きたのです。こういう創発的な相変化は、物理学の用語を使えば、相転移[7]といってもいいのですが、それがなぜ、どういうときにどういう条件の下で起こるのか。そこのところが進化の最も大きな謎の一つなんです。その辺のことは、また先に行ったところで考えたいと思います。

ぼくがこの授業をはじめるときにぼんやり考えていたことも、これと似てるんです。「人間の現在」を語るということは、人間の歴史の中においてとらえるということで、そうなると、人間の誕生のところからはじめなければならない。そうなる

---

(5) 炭素を含む物質を有機物、それ以外の物質を無機物と呼ぶ。生物はすべて有機物でできているが、生物が誕生する前に、無機物の複雑化があったと考えられている。

(6) 物質系の中で、状態が均一でかつ明確な境界を持ち、他と区別される領域。気体、液体などは、それぞれ気相、液相という。

(7) 水(液相)は、氷(固相)になったり水蒸気(気相)になったりと、温度や圧力の変化で異なる相をとる。このように、物質がある相から異なる相に移ること。

と、生物の進化の中で、いかにしてサルがヒトになったかを語らなければならない。さらには、生物進化がいかにして、サルにたどりついたか、生物進化の主な流れを語らなければならない。生物進化を逆にたどっていけば、当然、生命はいかにして誕生したのかという、生命の起源までやらなければならない。そもそも、最初に誕生した生命はどういう生命だったのかをやらなければならない。

生命と地球の共生の歴史

生命進化は、なぜどうして起きたのか。進化のコースはどのようにして決まったのか。途中で大絶滅が何度もあったし、大きな種の分岐があったわけですが、それはなぜ起きたのか。

疑問は次々にわいてきます。生命の起源までたどれば、当然生命以前の物質進化はどのように進行したかが問題になってきます。

進化というのは、生命に固有のものではありません。生命以前の物質も、化学進化⑧と呼ばれる物質進化をとげ、物質相がどんどん変化してきたわけです。そういう過程が先にあったからこそ、生命が誕生したわけです。物質進化がわからなければ、生命誕生の秘密もわからないはずです。そして、物質進化というのは、地球の歴史とパラレルなんです。だから地球進化といってもいいくらいです。

生命の誕生は約三五億年前とされているけど、それは、これまでに発見された生命の痕跡を残した化石のうちでいちばん古いものが三五億年前のものだということで、本当は、おそらくそれ以前にも生命があっただろうと推測されています。いちばん古い生命体の化石だろうとされている化石はバクテリア[9]のものでしたが、生命がはじめからバクテリアとして作られたわけはないからです。生命はもっと古い時代に、化石として残らないような形で誕生し、そこまで進化してきたわけです。それがいつかというと、最近では、四〇億年くらい前までさかのぼるのではないかと考えられています。ではそもそも地球が誕生したのはいつかというと、太陽系の誕生[10]が約四六億年前なんですが、それとほとんど同じころといわれています。太陽が生まれてか

(8) 生命誕生の前、化学反応によって単純な分子から複雑な高分子が段階的に合成され、それらが結合してタンパク質や核酸など生物の基本材料ができていく過程。

(9) 細菌ともいう。原核細胞からなる単細胞生物で、その種類は一八〇〇ともいわれるが、分類方法などは統一が取れておらず、次々と新しい提案が行われている。

ら、ほんの数千万年後には、もう地球が生まれていたといいます。

　地球が生まれたといっても、いまのような形で生まれたわけではなくて、最初は、火の玉状態のガスとダストのかたまりだったろうといわれます。ガスが少し冷えて個体部分ができても、地球の表面はドロドロにとけたマグマでおおわれたいわゆるマグマ・オーシャン状態(11)だったといわれます。そういう状態で、六億年経ったら、もう生命が生まれていたということになります。

　それに決定的な役割を果たしたのは、海の誕生です。岩石に含まれていた水が、熱で溶融するときに水蒸気になり、それが上昇して上空に出ると、冷やされて水に戻り、雨となって原始地球に降り注ぎ、海が生まれた。海はさまざまな物質をとかしこみ、太陽の光エネルギー、宇宙線の放射エネルギー、地球の地熱エネルギーを取りこんで巨大な化学反応器となった。その中で起きた無数の化学反応が、やがて生命分子を作った。細部はわからないけど、だいたいそういうシナリオだったのではないかといわれています。

　その後の地球の歴史は、生命体との共生の歴史です。生命は地球環境の中で生まれ育ち、死ぬまで、地球環境との間で相互作用を繰り返していくわけです。生きるというのは、環境との相互作用にほかならないのです。したがって、生物にとって、地球は最も大切な存在といっていいわけですが、地球にとっても、生物は地球自身が生きていくのに不可欠な存在なんです。

地球にとって生きるとはどういうことなのか、地球みたいな物質体を「生きている」といっていいのか、いろいろ議論があるところですが、ぼくは地球は生きている惑星だといっていいと思っています。

（J・E・ラヴロック『地球生命圏――ガイアの科学』工作舎（原題"Gaia"）を示して）地球はそれ自体が生きている超巨大生命体であるという考えを最初に示したのが、このラヴロックの『ガイア』という本なんですが、これを読んだことのある人、どれくらいいますか？（若干の手があがる。）これは非常にいい本で、地球、自然、生命、環境、人間など

（10）太陽系の起源については、太陽と惑星が同時に生まれたとする星雲説と、太陽よりあとに惑星が生まれたとする遭遇説、さらには電磁捕獲説その他があったが、現代の諸説はいずれも星雲説のバリエーションで、太陽と惑星は約四六億年前に同時に誕生したとされている。

（11）大量の隕石が、生まれたばかりの惑星に降り注ぎ、その衝突の熱によって表面がどろどろに溶け、マグマが海のように広がっていた状態。

といったものに対する見方を決定的に変えた、二〇世紀後半に出た最も重要な本の一つですから、ぜひ読んでおいてください。

この本を日本ではじめて紹介したのは、実はぼくなんです。ぼくの『宇宙からの帰還』という本を読んだ人は覚えているかもしれないけれど、あの最終章のラッセル・シュワイカート[12]について書いたところで、この本をかなり詳しく紹介しています。

シュワイカートは、自分の宇宙体験を進化論的視点から総括して、「これは、それまでずっとガイアの胎内にとどまっていた人類が、はじめてガイアの胎外に出た体験なんだ」というわけです。「原始時代、それまでずっと水中で生きてきた生物が、はじめて陸上にあがった。これはそれに比肩できるような体験なんだ。人類の進化史上でそれくらい大きな意味を持つ体験だったんだ」といいますが、そういうアイデアをつかむきっかけになったのがこの本だということで、「これはすばらしい本だからぜひ読め」とぼくにすすめたわけです。『ガイア』が出たのが一九七八年で、シュワイカートのインタビューをしたのが八一年。それを「中央公論」に書いたのが八二年です。『ガイア』の翻訳が日本で出るのは八四年ですから、その二年ばかり前になります。

『ガイア』の主張の核心部分は、地球が生きているということです。この場合の「生きている」というのは、文学的な比喩的表現としてそういっているのではなく、文字通り「生きている」ということなのです。

生命が「生きている」とはどういうことか

そうなると、「生きている」とはどういうことなのかということになりますが、基本的には、こう考えればいいんです。（黒板に大きな丸を描き）これを「生命」とします（図1）。生命というのは、要するに、膜によって区切

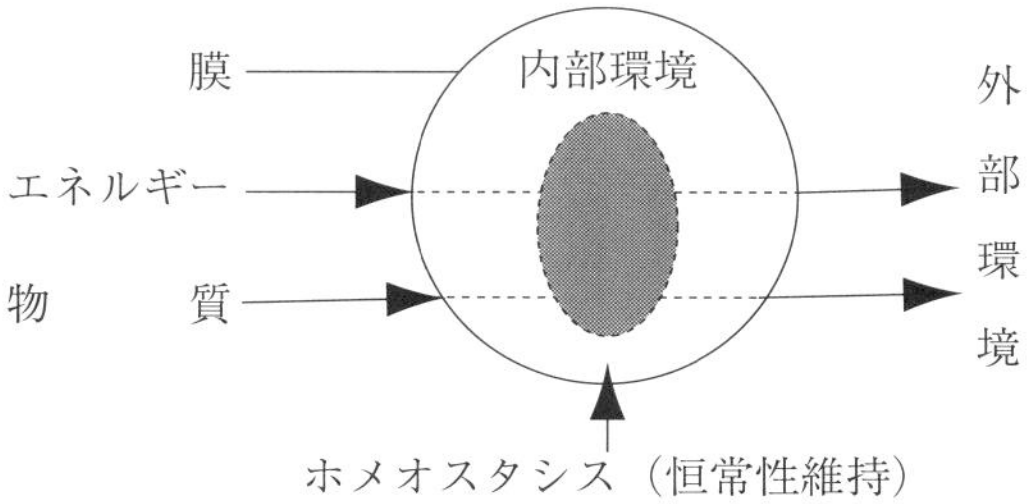

膜
内部環境
エネルギー
物質
外部環境
ホメオスタシス（恒常性維持）

図1

（12）Russell L. Schweickart（一九三五〜）宇宙飛行士。六九年、アポロ九号で二四一時間宇宙に留まり、地球を一五一周し、月着陸船のテストを行った。

られた空間であると考えればいいんです。この丸は細胞と考えてもいいし、もっと大きな生体システムと考えてもいい。膜の外の外部環境は、いろんな事情で変動しているが、膜で囲まれた内部はいつでも環境が一定である。そのような内部環境の恒常性が維持されることをホメオスタシス[13]といいます。一九三二年に、生理学者のキャノン[14]がギリシア語のホメオ（類似）とスタシス（持続）を結びつけて作ったことばです。厳密にいつでもピタリと同じというわけではなくて、いつも変動しているが、ある変動幅の中に安定しておさまっているという状態ですね。このホメオスタシスが保たれている状態が生命の本質なんです。人間という生体の場合、内部環境のパラメータとしては、体温、血圧の他、酸塩基平衡（pH）、カリウム、ナトリウムなど各種のイオン濃度、各種のホルモン濃度などいろいろありますが、それが一定に保たれず、乱れた状態を病気といいます。乱れが激しくなって、どうやっても恒常性が維持できなくなったときが、「死」です。生体にはホメオスタシスを維持するためのさまざまな機構がそなわっていますが、それが破綻すると、ホメオスタシスが維持できなくなって死ぬわけです。ホメオスタシスの反対語はカタストロフ[15]です。

　死ぬとどうなるか。細胞の場合、膜のところが破綻します。膜が破れると、内部環境と外部環境を区切るものがなくなって、いかなるパラメータをとっても、内部環境と外部環境が同じになってしまいます。それが死です。生きるというのは、世界の中に独自の空間を築くことであって、死とは、それがこわれてしまうことなんです。(図の膜のところを指して)この外部空間と内部空間をへだてる境界が膜であるということが重要なんです。膜とは何かというと、万里の長城のような、何ものをも通さない物理的障壁ではなくて、普通は通さないが、ある条件のもとではものを通過させる、柔軟性というか半透性を持った障壁なんですね。つまり、膜で囲まれた空間とい

(13) 生物の生理系(たとえば血液)が正常な状態を維持する現象のこと。「等しい」という意味のhomeoと、「平衡状態」という意味のstasisを結びつけたもの。アメリカの生理学者キャノンが提唱した。恒常性と訳されることもある。
(14) Walter Bradford Cannon(一八七一~一九四五) アメリカの生理学者。一九三二年に、交感神経・副腎系等の複合的反応過程が、生体の定常状態を保たせているとするホメオスタシス概念を提唱。この成果は、神経・ホルモンの統合的役割の全体像について、その後の研究に指導的役割を果たした。
(15) ものごとの破局、大詰め、大団円のこと。原義ギリシア語のkatastrophēは「下にくつがえす」という動詞に由来し、転倒や破滅を意味する。

うのは、完全閉鎖空間ではなくて、半分閉鎖され、半分開放された特別な空間なんです。そこに生命の本質があるわけです。膜を作り、その膜の機能を維持しつづけることが生命活動そのものであり、その膜が破綻することが死なんです。

膜が半透性であることを利用して、エネルギーが流入してきます。生命分子が入ってきます。入ったものはまた出ていきます。そのようにして、生命はいつも、エネルギーの流れの中にあり、物質の流れの中にあります。そのエネルギーと物質を利用して、生命は自己を維持しつづけるわけです。エネルギーの流れと物質の流れが同時に存在して恒常性を保っているものが生命です。

地球は生きている

生命をそのようなものととらえた場合、地球は生きているといえるのか？いえるんだというのが、『ガイア』の主張なんです。なぜなら、地球という空間の内部には、不思議なホメオスタシスが保たれているからです。具体的には、図２に示された各種のパラメータがそうです。大気の組成もそうだし、地球上の大気圧も、地球の表面温度などもそうです。酸素が21％で窒素が78％だとか、誰でも知ってますよ

ガス	惑星			
	金星	生命なき地球	火星	現在の地球
二酸化炭素	98%	98%	95%	0.03%
窒素	1.9%	1.9%	2.7%	78%
酸素	微量	微量	0.13%	21%
アルゴン	0.1%	0.1%	2%	1%
表面温度（℃）	477	290±50	−53	13
気圧（バール）	90	60	64	1.0

図2

ね。みんな知ってるように、こういうパラメータは基本的に一定です。気圧とか温度とか、季節や気象状況によって多少の変動はあるけど、基本的には変わりませんよね。

それが基本的に一定であるという状況に、みんなあまりにも慣れきってしまっているために、それがそういう値に保たれているということに対して、みんなぜんぜん不思議に思わないでしょう。しかし、それはよくよく考えてみると、実に不思議なことなんですね。

火星、金星のパラメータと現在の地球のパラメータをよく見くらべてください。地球の大気と火星、金星の大気のパラメータはあまりにもちがっているでしょう。なぜこんなにもちがうかというと、それは地球に生物がいるからなんです。

なぜ地球には二酸化炭素がこんなにも少ないのか。それは生物の炭酸同化作用で、二酸化炭素がどんどん固定化されて、大気ガスの中から排除されていくからです。大気になぜこんなに酸素があるのかといえば、植物の光合成作用で酸素が作られるからです。なぜこんなに窒素があるのかといえば、これまたほとんど生物によって供給されているからです。そして、それらのパラメータを一定に保つのも、生物の働きによっています。生物の働きには、大気中の二酸化炭素が増えすぎたら炭酸同化作用をもっと強めるといった、フィードバック作用がビルトインされているからです。

こういう生物作用がもし地球になかったらどうなっていたかを示したのが、図2の「生命なき地球」欄の数値です。この数値と「現在の地球」の数値を比較すれば、生物たちがどれほど大きな働きをしているかがすぐにわかるでしょう。

「生命なき地球」の数値は、表面温度をのぞいて、ほとんど金星と火星のそれに似通っています。つまり、生命がなければ、地球は金星軌道と火星軌道の間を公転しているもう一つの惑星にすぎないのですから、似てくるのも当然です。そして表面温度が金星と火星でずいぶんちがうのは、金星のほうがより太陽に近いためにより多くの太陽エネルギーを受けるのと、金星では二酸化炭素と水蒸気の厚い雲で強い温室効果があるので四七七度になっているのに対して、火星では大気がきわめて薄く温室効果がほとんどないから、表面温度は氷点下五三度になっているからです。どちらにしても、人間にはとても住めない温度です。地球に生物がいないと、温度は二九〇度プラスマイナス五〇度になるものと予測され、これまた人間にはとても住めない温度です。

地球を人間が住める状態にしてくれているのは、地球環境の生物全体なんですね。人間にとって地球とは、無機物の地球が与えてくれる物質空間ではなくて、生命環境つきの、人間がそこで生きられる空間なんです。地球が生きているから人間も生きていられるんです。

だから、生物進化史を見る場合も、そういう地球環境を育ててきた生物圏（バイオスフィア）[16]全体を見るという立場に立たなければならないわけです。

生物進化の前にあった物質進化、そこのところをもっとさかのぼると、宇宙の進化という問題に突き当たります。まず太陽の誕生と、その成長という問題がありま

（16）生物が存在する範囲。

す。太陽のような星は、この銀河系[17]に数千億あります。そのような数千億の星を含む銀河が数千億あるといわれます。太陽は我々にとってはかけがえのない星であっても、この宇宙の中では、ありふれた一つの星にすぎないわけです。そういう星が、みんなそれぞれに生まれ育ち、死ぬという星の進化の過程をたどっているわけです。そして、そのような星の集合体である銀河も、生まれて成長し、死ぬ、銀河進化の過程のどこかにあります。

そして、銀河進化の過程をどんどんさかのぼっていくと、ついにビッグ・バン[18]まで行きつきます。

つまり、ビッグ・バン以来の銀河進化の延長の上に、太陽のような普通の星の誕生があり、その延長の上に、地球の誕生があり、そして生命の誕生があったわけです。こういう話になると、必ず、「じゃあ、そのビッグ・バン以前はどうなっているんだ」といい出す人がいるんですね。きみらの中にも、口には出さないまでも、そう思っている人がいっぱいいるはずです。（和田純夫『ビッグバン以前の宇宙』岩波書店を示して）そういう人のために、こういう本もあります。といっても、この本に、ビッグ・バン以前の宇宙がどうであったかが書かれているというわけではありません。それよりむしろ、ビッグ・バン以前を考えなくてよい理由、考えることができない理由、考えることに意味がない理由がいろいろ書かれています。ぼくはむしろ、プラクティカルな理由で、あまりこの問題に深入りしないことをすすめます。

プラクティカルな理由というのは、人生は短いということです。世の中には、いくら考えてもわからないというたぐいの問題があります。自分の頭が悪いからわからないのではなく（もちろん、頭が悪くてわからない場合も多いのですが）、そもそも問題の性質として、わかるはずがないという問題があります。わかるかもしれないけど、ものすごい時間がかかることが必定で、それだけの時間をかけて考えることに意味があるとは思えないという問題もあります。たとえば、人は死んだらどうなるかなんてこと

(17) 恒星や星間物質、宇宙塵などが重力によって集まった天体を銀河という。そのうち我々人類が住む銀河を銀河系、または天の川銀河と呼ぶ。

(18) 宇宙のはじめの大爆発をいう。宇宙がいまから約一四〇億年前に起こった大爆発によって生まれたとする宇宙起源説で、火の玉宇宙論とも呼ばれる。現在広く受け入れられている標準的膨張宇宙理論（標準宇宙論）は、ビッグ・バンを起源とするものである。そのため、しばしばビッグ・バン宇宙論は標準宇宙論と同一の意味でも使われる。

は、いくら考えてもわかるはずがないけど、考えずにはいられない問題ですよね。しかし、そればかり考えているうちに死んでしまったら、それを考えつづけた意味がありませんよね。

人生は短いんですから、自分の持ち時間を有効に使うようにすべきです。しかし、そうはいっても、人間というのは、多かれ少なかれ、強迫神経症(19)的部分がありますから、こういうことはすべきじゃないと思っても、どうしてもそうせずにはいられないということがあるし、こういう考えはバカげてると思っても、そう考えずにはいられないということがあるもんです。それに、そういう強迫観念ないし強迫行為は、それにはまっているときは、それが面白くて抜けられないということもあるわけだから、それはそれでいいんですが、逆に、抜け出してみると、オレは何であんなバカげた考え(行為)にはまっていたんだろうとくやしくなることもあります。

はまっているときというのは、その問題をいつも同じ角度から同じように考えて、同じパターンの思考迷路の中でグルグルまわりをしてしまうか、袋小路に入って抜け出せない状態になっているかなんですね。そこから抜け出るには、問題を全然別の角度から見ることが必要なんです。立体式の巨大迷路に歩いて入り込むゲームランドみたいなのがありますね。ああいうところでは、途中でどうにも抜けられなくて困ってしまった人のために、ところどころ、見晴らし台みたいなところが作ってある。そこに上がってみると、すぐに、自分がどこでどう迷っていたのか、どっちに行けば抜けられるのかがわかる。ぜんぜんちがう視点に立って、グローバルな情報をつかむと、ローカルな迷いの抜け出し方が一挙にわかるんです。それと同じことです。自分がグルグルまわり型か、袋小路型の迷路にはまりこんでいると思ったら、一度その問題をぜんぜん別の角度から見直してみるといいんです。ヴィトゲンシュタイン[20]の哲学もそれなんです。

ビッグ・バン以前はどうなっていたんだというのも、それに似た性格の問題で、ストレートに考えてもとけないけど、そこから脱け出す道はいろいろあるんです。この

(19) 強迫思考や強迫行為に悩んでいる状態で、精神病などの障害が認められない場合をいう。当初は、パラノイアと強迫状態との類似が論議されていたが、フロイトがはじめて強迫とヒステリーとの共通点をあげ、これを神経症とみなした。

(20) Ludwig Josef Johann Wittgenstein（一八八九〜一九五一） オーストリア生まれの哲学者。ケンブリッジ大学でラッセルなどに学び、『論理哲学論考』を書いて論理実証主義に影響を与えた。

本はそのあたりを考えるのになかなかいい本です。
ここでは、それ以前にはさかのぼらず、とりあえず、宇宙の進化史の原点をそこに置くことにします。

ビッグ・バンと宇宙の進化

ビッグ・バンそれ自体はなかなか面白いテーマでして、いろんな解説書が出てるけど、なにか一冊くらい読んだことがある人どれくらいいますか？（少数だがある程度の人が手をあげる。）解説書にもよるけど、なんかわかったようなわからないような不思議な話でしょう。

ここでは詳しくやっている余裕がないので、世界のはじまりに関する標準理論がどうなっているのか、それくらいは現代人の基本的教養の一つだから、なにか一冊ぐらい読んでおいてください。いま天文学とか宇宙論の世界は、ものすごい勢いで進んでますから、ちょっと前に出た本だと情報が古くなって、読むに堪えないということが起こります。たとえば、ビッグ・バンとか宇宙創成の話になると、宇宙の大規模構造[21]の話や、COBE衛星による「宇宙背景放射にゆらぎがある」という観測結果[22]（一九九二）が入っているかどうかで、だいぶ話がちがってきます。

ビッグ・バン理論というのは、もともと、一九二九年にハッブル[23]によって発見された、宇宙が膨脹しつつあるという事実から導かれたわけです。宇宙の膨脹を逆にたどっていけば、宇宙のはじまりは小さな点ほどの大きさだったものが、大爆発して大きくなったと考えられるのではないかというわけですね。膨脹する宇宙というアイデアは、すでにアインシュタインの一般相対性理論（一九一六）の中に含まれていたんですが、それがハッブルの発見で事実であることが確認され、そこから時間をさかのぼっ

(21) 銀河の分布には偏りが見られ、「万里の長城」といわれる長大な帯や、全く銀河が存在しない巨大な空洞（ボイド）（「泡構造」）がある。こうした分布の偏りは宇宙創成時のゆらぎの反映と考えられ、また「暗黒物質（ダークマター）」との関わりからも、さらなる観測と偏りの原因考究が盛んに行われている。

(22) ＣＯＢＥの観測結果は、従来は一様とされていた背景放射が完全に一様ではないことを示した。このゆらぎは、ビッグ・バン直後の宇宙に存在した不均一な領域のなごりであり、この領域が銀河の源となった可能性があると見られている。

(23) Edwin Powell Hubble（一八八九〜一九五三） アメリカの天文学者。銀河のスペクトルの赤方偏移をドップラー効果によるものとみなし、宇宙の膨張を示す証拠として、銀河の後退速度が距離に比例するという「ハッブルの法則」を打ち立て、膨張宇宙説を確立した。

て考えれば、宇宙は大爆発からはじまったことになるというビッグ・バン理論が、ガモフ[24]の手で作られたのが一九四八年です。

ガモフはそのとき、もし自分の説が正しいとすれば、火の玉が急膨張する過程で、急速な温度降下が起こり、宇宙は現在、絶対温度で数度のところまで下がっているはずで、それはその温度のマイクロ波が天空のあらゆる方向から降ってくる宇宙背景放射[25]として観測されるはずだと予言したんです。その予言通りの三度Kの背景放射が一九六四年に発見され、それ以来、ビッグ・バン理論は宇宙創成の標準理論となって定着しているわけです。

ビッグ・バン理論で面白いのは、宇宙論[26]と素粒子論[27]がここで一体になることです。考えてみれば、それは当たり前といえば当たり前の話です。ビッグ・バンによって、宇宙が創成されたのだとすれば、素粒子もそのとき作られていたはずですよね。

ビッグ・バンというのは、あくまで理論的存在であって、歴史的存在ではないから、誰かがその過程をつぶさに観察していて、その記録が残っていたなんてことはないんですが、理論的には、どのように展開したか、その経過がことこまかに解析されています。

それによると、ビッグ・バン直後、10^{-34}秒後（一兆分の一秒の一兆分の一のさらに一〇〇億分の一）までは、宇宙は超高温（10^{32}度K、すなわち、一兆度の一兆倍の一億倍であったといわれる）、超高密状態で、そのころ物質は、素粒子のクォーク[(28)]以前の状態にあった。どういう状

(24) George Gamow（一九〇四〜六八）ロシア生まれのアメリカの物理学者。宇宙のビッグ・バン理論を提唱した。一般向け科学解説書の著者としても有名。

(25) 宇宙のどの部分でも観測される絶対温度約二・七三K（約三K）のマイクロ波放射。ビッグ・バン理論で存在が予想されたもので、一九六五年にはじめて観測された。ビッグ・バンの超高温のなごりで、この理論の裏づけとされている。

(26)「地平」の向こう側などの観測不能な対象まで含む宇宙全体の大局的な構造や、宇宙の誕生と死などを探求する学問。観測可能なものを対象とする純粋な自然科学である宇宙物理学とは本質を異にする。

(27) 物質の最小単位である素粒子の性質やその構造、素粒子間の相互作用などを研究する学問。高いエネルギー領域での研究であることから高エネルギー物理学ともいう。ビッグ・バン直後は素粒子ばかりの状態なので、素粒子論は宇宙論と不可分に結びついている。

(28) 素粒子を構成している、さらに小さい超素粒子のこと。ゲル・マンとツワイクが提唱したクォーク論に基づく。クォークそのものはまだ見つかっていないが、クォーク説を裏づける実験結果は出ており、現在、クォークの存在は確実なものとされている。

態かというと、ひっきりなしに物質（クォークなど）と反物質[29]（反クォークなど）の対が生成し、その対は生成するとすぐに衝突して、光となって消滅するということをくり返していたといわれます。ビッグ・バンには標準理論とインフレーション・モデル理論[30]があるんですが、標準理論に従って細かにいうと、ビッグ・バン後一万分の一秒くらい経つと、温度は一兆度くらいに下がり、反物質はほとんどなくなり（なぜなくなったのかは、宇宙の最大の謎の一つとして残されています）、残されたクォークは、まとまって、陽子、中性子などの核子を作りはじめます。

いまこの世界に存在する力は、重力、電磁気力、弱い力、強い力の四種類で、世の中のありとあらゆる現象は、この四つの力の組み合わせとして起きてるんですが（といってもこのうち弱い力、強い力は原子核内で働く力で、マクロスケールの日常世界で働いているのは、重力と電磁気力だけ）、この四つの力は、最初、全部が一体の一つの力となっており、それが時間の経過と温度の低下とともに段階を追って分離し、それぞれ独立の力となっていったといわれます。四つの力がそれぞれに独立して現在と同じ物理法則が成立するようになったのが、この一万分の一秒後、一兆度の時点で、それ以前の四つの力が明確に分離していなかった時代は、力の統一時代と呼ばれています。

この四つの力がそれぞれに分離独立し、それまでとはちがった物理法則が働くようになる転換、これを相転移といいます。

先に、進化は相転移の連続だといいましたが、それはもうこのあたりからはじまってるんです。そもそも、ビッグ・バンのはじめのところで、物質と反物質が対になって生成したと述べましたが、あれはいかにして生成したかというと、真空が相転移して物質になったのだというように解釈されています。真空とは、古典的に考えられていたように何もない虚無の空間ではなくて、現代物理学においては、エネルギーが充満した空間だと考えられています。$E = mc^2$で、エネルギーと質量は等価ですから、原爆のように質量が消滅してエネルギーに転化する過程があるなら、逆に、エネルギ

(29) 電子には陽電子（電荷だけが異なる）、中性子には反中性子（磁気モーメントが異なる）というように、すべての粒子には鏡像関係にある反粒子が存在し、反物質はそうした反粒子から成る。

(30) 従来のビッグ・バン理論にあった矛盾を解決するものとして、一九八一年に日本の佐藤勝彦とアメリカのA・グースによってインフレーション・モデルが提唱された。従来の標準理論では、初期の膨張によってエネルギー密度が下がり、その後の宇宙の形成をきちんと説明できなかったが、指数関数的な爆発的膨張を仮定するインフレーション・モデルでは、膨張時にもエネルギー密度が維持され、矛盾を生じない。

ーが質量に転化する過程もあるはずで、それが何もないところから物質が生成したと見える現象の解釈を与えます。真空に充満していたエネルギーが相転移を起こして物質になるのだと考えればいいわけです。超高エネルギーの場で、物質と反物質のペアが何もないところから生成するという観測実験にはたくさん成功しています。ビッグ・バン直後はそういうことが全宇宙的に起きていたということです。

人間はこの惑星の未来の進化に関して、すべての責任を負っている

こうして考えてくると、この世界は、創成のはじめから進化の流れの中にあり、それは、さまざまにレベルのちがう相転移の連続だったということもできるわけです。

ジュリアン・ハックスレーがいったように、まさにこの宇宙は、「一つの壮大な進化の流れ」としてあるんです。しかし、ハックスレーがそういったとき、彼がどの程度のことを考えていたかというと、ここに述べたようなところまでは考えていなかったことは明らかです。というのは、その時代、まだ銀河進化などということは知られていなかったし、ビッグ・バン理論もまだ確立されていなかったからです。ビッグ・バン説の根拠となる背景放射が発見されたのが一九六四年ですから、彼が論文

「二つの文化と教育」を書いた当時は、まだ専門の天文学者といえども、ビッグ・バン説をマユにツバをつけて聞いていた人が大半で、ビッグ・バンのプロセスの詳細などは、理論的枠組みもまだできていなかったころです。ですから、宇宙全体が一つの進化の流れの中にあるといいながら、この論文の中で無機的な物質進化の例としてあげているのは、実は、主として地質学の知識にもとづいた、地球の地層の変化の話とか、地質学的変化で生まれた鉱物資源の話程度なんですね。あとはもっぱら、生物進化の話と、人間進化の話になっています。

ところが、六〇年代の後半になると、ハックスレーの宇宙における無機的進化の見方は一変します。宇宙背景放射の発見以後、宇宙そのものがとんでもなく巨大なスケールの進化をとげてきたのだということをみんな認めざるをえなくなり、宇宙進化を語ることが当たり前（とはいっても甲論乙駁の連続）になっていたからです。

「すべてを進化の相の下に見る」というのは、ハックスレーの持論でして、彼は何度か、この論文と似たようなことを別の機会にも述べているのですが、一九六五年にユネスコ主催で開かれたシンポジウムで語った「科学と綜合」と題するスピーチの内容とくらべてみると、そのちがいに驚かされます。

「最近における知識の爆発が、我々に重要な綜合の一片を与えてくれます。それは、進化の概念です。進化の概念はますます正しく的確なものになり、ますます包括的なものになり、ますます多くの分野に拡張適用が可能になってきました。――私は特に銀河進化について述べています。まだ宇宙進化という言葉は使いたくありません。まだ宇宙論者たちは、互いに他の理論を攻撃するのに忙しく、宇宙進化という概念をはっきりさせることができないからです。

ともかく、本質的な意味で、この世にあるすべての現実（リアリティ）は、進化であるといっていいと思います。進化は全宇宙でもっとも普遍的に展開している現象です。銀河でも恒星でも進化は進んでいるし、物理学の世界でも、化学の世界でも、地質学の世界でも、生物学の世界でも、動物の行動の側面でも、人間の行動の側面でも進化は進んでいます。

簡潔にいえば、進化は三つの相において、次々に展開してきました。無機物の相、生物の相、心理的社会的な相です。それぞれに別の進化メカニズムを持ち、進化の進むスピードも別々です。進化がもたらす産物もまた別々です。この三つの相における進化が進んだのは、我々の惑星だけです。他の惑星でも、無機物進化と生物進化くらいはあったかもしれません。しかし、三つの相における進化があったというのは、宇宙のすべての惑星を考えても、非常に希なケースであったろうと思います。

この惑星で起きた進化を樹木の成長にたとえるならば、宇宙的な進化のプロセスが樹木の生える土壌を準備し、地球物理的あるいは地球化学的進化が樹木の根を作り、生物学的進化が樹木の幹と枝を作り、心理的社会的進化がその樹木に咲いた花と実った果実をもたらし、それがある種の心理感慨を生んだともいえるでしょう。

もちろん、このような表現は隠喩であり、隠喩はしばしばミスリーディングなものですが、この場合は、進化というものが、我々の世界を構成している中心的な概念であって、それが人間のことを考える上で、特に人間の未来を考える上で最も包括的な主題となり、中心的な知識になるということをつかんでいただくために、ピッタリのイメージになるでしょう」

この人間進化の側面に関して、先に引用した論文の中で、ハックスレーは次のように述べています。

「我々人間は、宇宙の残りの部分と同じ物質で作られ、同じエネルギーで動かされています。他の生物と同じような遺伝子と酵素のシステムを用いて、自己再生産とメタボリズム(31)を実現しています。また高次の動物たちと同じような情動、欲求、記憶のメカニズムを持っています。

しかし、それにもかかわらず、人間はやはり特別な動物です。それは特別に発達した脳によって、新しい能力を獲得したからです。――理性的な推論能力、クリエイティブな想像力、概念を駆使する思考能力、言語を使用した高次のコミュニケーション能力、こうしたものによって、人間は新しい進化の方法を獲得しました。それは、お互いの体験の中から有意味で関連性のある部分を抽出し、それを伝えあい、蓄積していくという方法です。それによって、人間はこの地球における優先種となりました。人間がいるかぎり、他のいかなる動物も、この地球上で人間をしのぐ優先種となるような進化をとげることはできません。ということは、人間はこの惑星の未来の進化に関して、すべての責任を持っているということでもあるのです」

このことを、我々はいつも頭に置いておかなければならないということです。

(31) 物質交代のこと。生命維持のために、生体内で行われる物質の化学変化。食物として外界から取り入れられた物質は、さまざまな合成や分解を経て、生命活動のための物質やエネルギー源となる。

第二章　進化の複数のメカニズム

ハックスレーが説く進化の三つのメカニズム

ジュリアン・ハックスレーは、この全宇宙で普遍的に進行している進化が人間進化という新しい相に入ったとき、全く新しい段階に入ったというわけです。人間は特別に発達した脳を持つことによって、新しい生活領域、新しい活動領域を開拓し、そこにおける新しい進化の方法を獲得したからです。脳が人間にもたらした高度な知的能力、すなわち、思考能力、推論能力、想像力、コミュニケーション能力などなどを駆使して、人間は一つの文化的な共同体世界を作り上げ、それを共有し、発展させていくことをもって、人間の主要な営みとしたわけです。

人間以前の物質進化、生物進化などと全くちがうのは、そこのところです。人間以外の生物進化が、物質的な自然環境をフィールドとして展開されてきたのに対して、人間進化は、人間自身が作り上げた物質的な人工物文明と、人間の精神活動が作り上げた非物質的なカルチャーの双方が入りまじったハイブリッドな世界をその主たるフィールドとして展開されてきたわけです。そして、人間が作り上げた世界は文明も文化も基本的に知的世界です。知的世界という意味は、クレヴァーな世界という意味ではなく、ナレッジ(知識)をベースにして、その上に築き上げられた世界だという意味です。人間活動というのは、すべてが人間社会が歴史的に積み上げてきた共有知の上に乗っかっています。この共有知、知の総体をリファインしながら拡大しつづけ、それを世代から世代へ受け渡していく、これが人間の歴史の主要な骨格であるわけです。

人間の知の総体は、ここ一〇〇年ほどの間に驚くほど増大しました。量的に増えただけでなく、その拡大のスピードがどんどん上がり、いまや爆発的といってもいい勢いで、さらに増えつづけています。その増大は、空間軸に沿って領域や量の広がりとしてなされただけでなく、時間軸に沿って時間的な深さ方向の拡大と、時間分解能[1]を高めるという方向でもなされてきました。つまり、時代が新しくなればなるほど、我々は歴史を深く知るようになったということです。

ハックスレーは、「二つの文化と教育」の中で次のように述べています。

「最近の一〇〇年間に、知識の爆発が起こり、それは我々の歴史というものに対す

(1) どれだけ細かく時間を計測できるか、その精度を指す。

る見方を一変させた。人間の歴史は、いまや先史時代を含んでいる。そして人間の先史時代は、生物進化の歴史にそのまま接続している。人間世界の進化は、精神的社会的側面にその相を移してしまうわけだが、それに先立つ数億年の生物進化は、その先がけであるとともに、人間進化の出発点を設定するものでもあったわけだ。生物進化から人間進化につづく一つの進化の流れの中には、幾つかの主要な方向づけがあったということができる。進化の過程で、幾つかのキーになるファクターが働いている。それはより高次の組織体を作り出そうとする方向づけである。私は肉体的な構造とかメカニズムについていっているのではない。むしろ、人間の観念の世界とか、社会組織とか、人間が作り出す機械仕掛けについていっている。それは、放散[2]（ダイヴァージャンス）の方向ではなく、収斂[3]（コンヴァージャンス）の方向を向いている。多種多様な群や種にわかれて、それが互いに雑多に交雑しあうという方向ではなくて、それぞれに思考する幾つかのグループにわかれながら、そのグループ同士がお互いに思考の成果を交換しあうことによって成立する一つの大きな群を形成するという方向に向かっている。それによって、人間は絶えず知識を量的に拡大し、質的に改善しつづけている。そして、その知識をよりよく使うことで、実用的な技術を改良したり、人間社会がこれからどういう方向に向かうべきかを考えるときに重要になる価値体系や信念の問題をより深く考えられるようになる」

ハックスレーは、これと同じような考えを「科学と綜合」の中でも、こう語っています。

「ダーウィン[4]の『種の起源』以来の一〇〇年間に、驚くべき知識の爆発が起きました。それによって得られた、大量の事実認識、観念、原理は、それ以前の数千年の歴史が総がかりで生み出した知識の量をはるかに凌駕しています。この恐るべき大量の知識は、自然科学のみによって生み出されたものではありません。考古学、歴史学と歴史周辺科学、社会学、経済学、比較宗教学、美術史、言語学、意味論、哲学などがそれぞれにこの知識の山に大量の知識のかたまりを付け加えています。科学あるいは

(2) ガス分子がそれと接する液相または固相の内部に界面を越えて移動する現象をいう。
(3) 複数の物が変化するうちに、それぞれの特徴を失い、同質化していくこと。
(4) Charles Robert Darwin(一八〇九~八二) イギリスの博物学者。海軍の測量船ビーグル号に乗り込み、一八三一年から五年間にわたって南半球各地をまわって動植物を観察し、その経験にもとづいて自然淘汰による進化論を主張する『種の起源』(一八五九)を著した。

科学的共同作業が、この膨大な知識の山を整理して、それをわかりやすくするとともに、そこから人間に意味と価値のあるものを引き出さなければなりません」
「我々の知るすべての実在（リアリティ）は、一つの巨大な進化過程にあります。その進化は、絶えず新しい可能性の実現に向かっています。我々は進化を研究することができます。ある限度内ではありますが、それを理解し、その起き方をコントロールすることもできます。しかし、進化そのものがなぜ起きるのか、進化の産物として我々自身がなぜここにいるのかという問題は、神秘のままにとどまります。それは受け入れる以外どうしようもないことです。

　さしあたって、人間は陣痛に苦しんでいます。我々の現在の精神的社会的組織は、いま解体の危機にさらされています。急を要することは、新しい綜合です。観念において、信念において、社会的価値観において、個人的価値観において、政治的目的、文化的目的において、新しい綜合が必要です。新しい綜合によって、いま生まれようとしている新しい精神的社会的システムを支える骨組と、それを産み出す母体作りをしなければならないのです。

　科学は、その出産の助産師にならなければなりません。しかし、現代の科学にそれができるかといったら、できません。進化の助産師になるためには、それなりの修錬を積む必要があります。今日の科学は、世界の綜合をはかる前に、自分自身の綜合をはかるべきです。（中略）現在、大文字でScienceと書けるような科学の実体はありません。小文字のsciences（諸科学）があるだけです。異なった諸科学が、組織の異なったレベルの現象を扱っていて、そのため、解析の抽象度とか単純性はどんどん低下する一方、具体性、複雑度がどんどん増大しています。その結果、組織が高次のものになればなるほど、それを低次のレベルでも通用する原理のレベルで説明するということができにくくなっています。組織のレベルが低次のものから高次のレベルにあがると、ロイド・モーガン[5]がいったように、創発（エマージャンス）が起こり、新しいレベルの現象を説明するためには、新しい方法論と新しい概念が必要になります。マイアとシンプソン[6]がいみじくも述べたように、分子生物学の概念と方法論では、どんなにがんばっても、生物の個体レベルで起きる現象とか、進化論レベルで起きる現象とか

（5）Conwy Lloyd Morgan（一八五二〜一九三六）　イギリスの心理学者。本能を生得性と自発性によって特徴づけながら、その可変性を強調し、基本的に本能を知的行動の前駆形態とみなす立場をとった。

は解説できないのです」

要するに、ここでハックスレーがいわんとしていることは、すべてを進化の相の下に見るといっても、進化にはちがうレベルの進化があり、そこで必ず創発（エマージャンス）が起きるから、すべてを同じことばで語ることは不可能だということです。

物質進化、生物進化、人間進化、この三つのレベルは決定的にちがうわけです。この三つの大進化によって飛びこえられたギャップはあまりに大きいから、そこではぜんぜん質のちがう現象が起きている。その各領域で成立しているサイエンスは、みんなちがう方法論を持ち、ちがう概念体系を持っている。だから物質科学の言葉では生物を語りきれないし、生物科学の言葉では、人間社会に起きている現象、あるいは人間の心の中で起きている現象については語りきれないわけです。

進化のメカニズムも、三者みんなちがいます。「無機的進化のメカニズムは物理的な、ときには化学的な相互作用で、それは極端にゆっくり作用」します。「生物進化のメカニズムは自然淘汰」です。それに対して、人間社会における進化のメカニズムは何かというと、「主なメカニズムは文化的圧力を通して働く精神的社会的淘汰である」とハックスレーはいいます。

ここでハックスレーは、人間の精神活動における産物、つまり、観念とか、思想とか、価値観とか、信念、信仰といったもののサバイバル競争についていっているわけです。より多くの人により強く信じられ、支持されるものが、人間社会の精神生活の中で生き残っていく。同様に経済システム、政治システム、法制度のあり方においても、より多くの人により強く信じられ、より支持されるものが生き残っていくというわけです。

スペンサーの社会進化論

こういう社会制度のあり方に進化論が適用されるという考え方を社会進化論、社会ダーウィニズム論[7]といいます。ハーバート・スペンサー[8]にはじまり、一九世紀から二

(6) George Gaylord Simpson（一九〇二〜八四） アメリカの進化学者、古生物学者。一九四〇年代から五〇年代にかけて現代進化学説（総合学説）の構築に大きく寄与。哺乳類を中心にした化石の証拠に基づいて進化の様式を明らかにし、遺伝学と分類学による進化学説でそれが説明できることを論じた。

(7) ダーウィンの進化論を直接社会現象の説明に適用する考え方。高等といえども人間も生物である以上、これが織りなす社会にもダーウィン的原理は貫徹しているはずだとする。

〇世紀はじめにかけて、世界中で大いにはやったものです。スペンサーには、『総合哲学体系』という全一〇巻の大著があり、そこでは、星雲の進化から、生物進化、人間進化、社会進化、思想や道徳観の進化まで論じられ、その中で、ハックスレーに先がけて、すべてを進化の相の下に見る見方が貫かれています。

スペンサーはダーウィンのほぼ同時代人で、ダーウィンの『種の起源』の前から独自に進化の概念にたどりついていたこともあって、進化論の大きな影響を受けるわけです。この人は面白い人で、父親が教師だったので、はじめから終わりまで家庭で教育を受け、小学校にも行っていなければ、大学にも行っていません。しばらく「エコノミスト」(9)の記者をやった以外は、家にこもって一生本を書きつづけた人で、結婚もしませんでした。

社会進化論は、多くの面で正しい側面を持っているのですが、それをかついだ人がしばしばイデオロギッシュに利用したため、一時は大変に評判が悪くなります。どういうことかというと、人間社会も、基本的には生存競争で成り立っているというところから話がはじまります。その過程で、適者が自然淘汰で生き残っていくのが進化の正しい道筋であると社会進化論者は考えるわけで、優勝劣敗、弱肉強食の世の中を基本的には当然のことと肯定するわけです。そうすると、戦争をやって勝つほうが支配するのは当たり前ではないかということになり、帝国主義[10]国家が弱い国に戦争を仕掛けて植民地にしてしまうのも悪くはないというし、社会で弱者が差別を受けるのも仕方ないではないかということになるということになります。社会進化論は、アメリカとナチス・ドイツで高い評価を受けます。アメリカでは、資本主義の下で弱肉強食当たり前の競争を徹底的にやるべしという伝統的な考え方の基礎理論になり、ナチスでは、人種的に優れたアーリア民族[11]が世界の支配者になるのは当然だという考え方の基礎にな

（8）Herbert Spencer（一八二〇～一九〇三）イギリスの哲学者、社会学者。有機体システムとのアナロジーによって、社会を進化するシステムとして捉え、自由放任主義を提唱した。

（9）ロンドンで発行されている、世界で最も古くまた最も権威ある経済問題中心の週刊誌。一八四三年、銀行家で下院議員のウィルソンによって創刊された。

（10）侵略戦争、植民地拡張、他国への強権的な権力行使など、多民族や他国の領土に支配を拡張したり権力を行使する政策や事実のこと。

（11）インド＝ヨーロッパ語族に属し、インドやイランに移動して定住した人々。はじめは中央アジアで遊牧生活をしていたが、ＢＣ二〇〇〇年紀ごろ南下して、インド文化の基礎を築いた。

り、さらには、劣等者には断種[12]させ、優等者にはどんどん子供を産ませて人種改良をはかろうという優生学[13]の思想のもとになります。

外国の流行思想に弱い日本人

面白いのは、日本における受けとめられ方です。スペンサーは、明治初期の日本に最も大きな影響を与えたヨーロッパの思想家でした。何しろ、明治一〇年から明治三〇年にかけての二〇年間に翻訳された著書が三〇冊以上あるんですから、年一冊以上です。なぜそんなにスペンサーに人気があったかというと、そのころ盛り上がりはじめた自由民権運動[14]にスペンサーがぴったりだったからです。スペンサーの思想の中核には、進化論とならんで、徹底的な自由放任論があり、国家が政治運動など、民衆の運動に一切干渉すべきではないという理論があって、そういう考えを記した『社会平権論』という本は、板垣退助[15]が、「これは民権の教科書だ」といったというほど日本の民権運動者たちに広く支持されたのです。板垣退助は、わざわざイギリスに行ってスペンサーに会い、日本の民権運動に助言を求めたほどです。

しかし、スペンサーのほうでは、あまり自由民権運動に好意を持っていなかったらしく、いい反応をしなかったといいます。実は、板垣より先に、スペンサーには、日本の政府筋が接触しており、何かというとスペンサーの助言を求めるような関係になっていました。板垣がスペンサーに会えたのも、政府筋からの紹介によるもので、政府筋では、板垣をスペンサーに会わせれば、あまり過激なことをいわなくなるだろうという読みから紹介したのだといわれます。

スペンサーの基本的な考え方からすると、権力への自由な競争がある社会で現実に政治権力をにぎった者は、優勝劣敗の自然淘汰によって権力を得たわけだから、評価が悪かろうはずがないわけです。明治新政府の側でも、徳川幕府からの権力獲得を正

(12) 悪質の遺伝を断つため、手術などによって生殖能力を失わせること。

(13) eugenics　ゴールトンが一八八三年に作り出した言葉で、ギリシア語の「よい種（たね）」に由来する。良質な遺伝子を残して子孫を優秀にする目的で、配偶者の選択や結婚上の問題を科学的に研究する学問。

(14) 一八七〇年代後半から八〇年代にかけて、政府の専制に反対し参政権と自由および自治を主張して、憲法制定、国会開設に至る状況を作り出した国民的な運動。

(15) いたがき　たいすけ（一八三七〜一九一九）　明治の政治家。土佐高知藩出身。民撰議院設立建白書を提出、自由民権運動展開の契機を作った。参議、自由党党首、内相を歴任。

当化するためにスペンサーの社会進化論を利用していたということもあり、スペンサーは、政府側、反政府側双方から高い評価を受けていたのです。

もう一つスペンサーの評価を高めたのは、同時代のヨーロッパで彼が高い評価を受けていたという事実です。

日本という国は、明治のはじめから、思想は外国からの輸入がもっぱらという国ですから、外国の流行思想に弱いんです。驚くほど弱い。「もう○○は古い。いまヨーロッパで（アメリカで）最も注目されているのは××だ」——こういうふうにいわれると、コロッとまいって、すぐそちらに飛びつく。そういうことを繰り返してきたんです。すぐ飛びつくかわりに、見捨てるのも早い。それで困るのが本です。その思想が流行っていたころは何冊もその人の本があったのに、流行が終わったとなると、本が消えてしまう。読みたくても、ぜんぜん本がないということになります。

ぼくの学生時代だと、同時代の思想家では、サルトル[16]、ハイデッガー[17]、ヤスパース[18]なんていうあたりが流行りでしたが、いまその辺読んだことがある人いる？（ほんの少し手があがる。）まあ、そんなものでしょうね。そのあとレヴィ＝ストロース[19]が流行ったり、フーコー[20]が流行ったり、いろんな時代があって、いまならどのあたりですか？

ドゥルーズ[21]とか、デリダ[22]あたりですか？

(16) Jean-Paul Sartre（一九〇五～八〇） フランスの作家、哲学者。第二次大戦後の世界の代表的知識人。実存主義思想による「存在は本質に先行する」という考え方で、まず人間の現実の存在から出発して人間革命を行い、ついで社会革命を起こそうと主張した。

(17) Martin Heidegger（一八八九～一九七六） ドイツの哲学者。『存在と時間』で現象学的な存在論を主張。ギリシアから現代までのヨーロッパ哲学を存在忘却の哲学と批判し、存在者と区別された意味での存在そのものを追究した。

(18) Karl Jaspers（一八八三～一九六九） ドイツの哲学者。実存主義の立場に立つ。精神病理学から世界観の心理学に、さらに哲学に転じた。対象認識の世界定位の次元と実存開明の段階と形而上学の三段階を峻別した。

(19) Claude Lévi-Strauss（一九〇八～二〇〇九） フランスの文化人類学者。構造分析の方法を用いた神話研究によって、構造主義人類学を発展させ、物語や文学の研究一般にも大きな影響を与えた。『悲しき熱帯』『野生の思考』ほか。

(20) Michel Foucault（一九二六～八四） フランスの哲学者、構造主義の代表的な思想家。コレージュ・ド・フランス教授。『狂気の歴史』で近代理性の歴史的・抑圧的性格を明らかにし、『言葉と物』では一七世紀以降の近代人文諸科学における人間に関する知を、非連続的な社会変動の所産であるとして、知の構造的変化のありようを示した。他に『監獄の誕生』『性の歴史』など。

ぼくはどちらかというと天邪鬼の人間ですから、あんまり流行思想を読んでません。それが流行してるというだけで読みたくなくなってしまうんです。むしろ、人が読んでないものを読みたくなるほうですから、読み逃している流行思想はたくさんあります。しかし、いまにして思うと、そういうものの大半はすでに消えていて、やっぱりあんなもの読まなくてよかったと思います。

「勉強」のトラップに注意せよ

人間若いときは、一度は哲学にひかれるのが普通だし、それは知的に健康であることの証明のようなものです。

ですから、最低一生に一度は哲学書を熱中して読むことをすすめますが、一方で、哲学に深入りするなともいっておきます。若い人は大人になっていく過程で、何度もいろんなところに仕掛けられた罠に出会わなければなりませんが、哲学的問題に悩むというのもそういうトラップの一つです。下手にそれにつかまってしまうと、一生そこから抜けきれないことになります。

哲学のトラップには二つのタイプがありまして、一つは、解が本来ない問題に、解があるはずだと思って、一生思い悩むというタイプですね。解が本来ない問題というのは、多くの場合、問題の立て方そのものがまちがっていることが多いんですが、解を求める手続きがまちがっているということもあります。解があるなら、解が存在する領域というか解空間[23]全体の存在条件を一応検討しておく必要があります。数学の問題を解くときは、みんなそれを忘れないようですが、哲学的問題を解くときもそれが必要なんです。解空間といっても、それは三次元的に存在するわけではなくて、一種の位相空間[24]として存在するわけですから、位相空間的に考える必要があります。わか

(21) Gilles Deleuze（一九二五〜九五） フランスの哲学者。経験論と観念論を批判的に解明して、これらを克服する哲学を『差異と反復』で展開。また、ガタリ Pierre-Félix Guattari（一九三〇〜九二）と共同して、資本主義社会を根本的に捉え直す試みを『アンチ・オイディプス』『千のプラトー』で行った。

(22) Jacques Derrida（一九三〇〜二〇〇四） フランスのユダヤ系哲学者。エクリチュール écriture、痕跡などの概念を用いて、ロゴス中心主義と結びついた音声中心主義の克服を目指す。そのための戦略である脱構築 déconstruction は文芸批評でも広く用いられている。『エクリチュールと差異』『散種』など。

(23) 方程式の解からなる空間を意味する数学用語。点をあらわす場合もあれば、線、面、空間をあらわす場合もある。ここではある問題に対する解決策の集まりといった意味。

りやすくいえば、解のありうる形、解のタイプについて考えるということです。もう一つのおちいりやすいトラップは、もっともらしいニセモノの思想にハマってしまうことです。昔の極左とか、最近の例では、オウムに入って殺人までやってしまった東大生とか、このタイプのトラップにハマった例は東大でも枚挙に遑(いとま)がありません。

　哲学的問題を考えるときに、東大生がおちいりやすいもう一つの誤りがあります。それは、哲学を哲学することとそれ自体が大切なのだということを忘れて、哲学とは覚えるべき知識であるかのごとく思いこんで、そういうものとして哲学を「お勉強」してしまうことです。だから、これこれの哲学者の思想はどういう思想だとか、こういう問題について、哲学者Aはこういって、哲学者Bはこういって、哲学者Cはこういったとか、そういうことはものすごくよく知っていて、何を聞いても立て板に水で話してくれるけど、「それじゃ君はどう考えてるの?」と問うと、何も答えられない。あるいはその辺の中学生程度の答えしか出てこない、そういう学生が東大には多いんです。学生どころか、哲学の大学教師にもそういう人が多いんです。哲学を何のためにやるのかといったら、人の思想を覚えるためではなくて、自分の思想を作るためなんだから、そういう人の「お勉強」はすべてムダに終わったということです。

自分の頭で考えることが大切だということから、当然、さっきいったような流行思想にふりまわされるなということも出てきます。といっても、流行思想は何でもいけないということじゃないんです。流行思想の中にも結構いいものがありますからね。ぼくがいいたいのはふりまわされるなということです。自分の眼を持ち、自分の眼でものを見ろということです。

流行思想の変種の一つに、流行批判というのがあります。人間、人をけなすのが大好きという困った性向がありますから、批判もすぐ流行するんですね。特に、相手が世間でもてはやされるような存在であればあるほど、それを批判することに快感を覚える人たちがたくさん出てくるんですね。日本は特にそれが多いんじゃないかしら。持ち上げるだけ持ち上げておいて、あとはそれを引きずり落とすことに熱中す

(24) 実数の集合や平面上の点集合には「近さ」とか「近づく」といった概念で表される構造が備わっている。これを用いることで、これらの集合上では極限や連続の概念が定義される。一般の集合についても、それにある種の構造を与えることにより、極限や連続などの概念が定義でき、これらについての理論を展開することが可能となる。このような構造を位相といい、位相の与えられた集合を位相空間という。

る。社会現象としてそういうことがよくありますが、思想の世界でもよくあります。オリジナルを読んだこともないのに、その批判だけは読んで、すぐ一席講じる。そういう流行批判のエピゴーネン(25)になることで、日本ではいっぱしの知識人気どりができるということがあります。流行思想にすぐ乗るのもみっともないけど、流行批判の尻馬に乗るのはもっとみっともないことです。

社会進化論に話を戻すと、社会進化論の批判も、一時は流行批判になっていましたから、社会進化論と聞いただけですぐそれを持ち出して社会進化論なんてもう古いといい出す人がいまでもたくさんいますが、社会進化論には、さっきも述べたように正しい論点がたくさんあり、最近ではむしろ再評価、再構築されてるんですね。といっても、昔のままの社会進化論ではありません。ずっとソフィスティケートされたものになっています。昔の社会進化論は、生物と社会のちがいをあまりきちんと分析せずに生物進化論の中から適当な概念をひっぱり出してきて、社会にあてはめただけといういい加減なところがあったんですが、いまは、どういう概念がどういう条件の下にどの程度あてはまるのかをおさえた上でやってますから、昔の批判論はほとんど通用しません。

ジュリアン・ハックスレーの思想は、社会進化論に似ている部分もありますが、これまで紹介したところでもわかるように、かなりちがいます。

「知的巨人」テイヤール・ド・シャルダン

ジュリアン・ハックスレーに近いのは、スペンサーではなくて、実はテイヤール・ド・シャルダン[26]です。テイヤール・ド・シャルダンを知っている人はどれくらいいますか？（手をあげる人ほとんどなし。）そんなに知らないのかな。この人は、進化論者、古生物学者として世界的に有名な人で、二〇世紀の知的巨人として指おり数えられる人間の一人です。せめて名前ぐらいは知っておいてください。

（ユネスコ編『科学と綜合』白揚社を示して）さっき紹介したハックスレーの「科学と綜合」というペーパーは、ユネスコ主催のシンポジウムで発表されたものだといいました

(25) ある人間の思想に付き従っている者のこと。あるいは、本流に対する亜流。
(26) Pierre Teilhard de Chardin（一八八一～一九五五） フランスのイエズス会神父、進化論者、古生物学者。

が、このシンポジウムは、この本の副題にもあるように、「アインシュタインとテイヤールをめぐって」開かれたものなんです。このシンポジウムが開かれた一九六五年は、二人の没後一〇年にあたるとともに、アインシュタインの一般相対性理論の発表後五〇年にあたりました。そこでそれを記念して開かれたシンポジウムなんです。それに参加した人たちはというと、オッペンハイマー[27]、ハイゼンベルク[28]、ド・ブロイ[29]といった物理学者、生物学のハックスレー、哲学者のメルロ＝ポンティ[30]など、超一流の人たちでした。

きみらはその存在も知らなかったかもしれないけど、テイヤール・ド・シャルダンは、アインシュタインとならぶような二〇世紀を代表する知的巨人だったんです。死後一〇年を記念して、これだけの人が集まってシンポジウムが開かれたような人なんです。このシンポジウムの開会の辞を時のユネスコ事務局長のルネ・マウ[31]がやっています。それを読めば、もう少しテイヤールのことがわかるでしょう。

「皆さん。

それは一九五五年の四月一〇日、イースター祭の日のことでありました。テイヤール・ド・シャルダンは、ニューヨークで死の床に横たわっていました。交互に、そし

テイヤールは、古生物学者[33]としても大変有名な人で、誰でも知っている業績の一つとしては、北京原人[34]の発掘があげられます。

しかし、彼の進化論には、キリスト教の教義と合わない部分があり、生前は、教会から、著作の発表が禁じられていました。ですから生前は、きわめて一部の人にしか彼の思想が伝わらず、一般には無名のままに終わっています。彼の死後、はじめてこの『現象としての人間』が発表されると、世界的な反響を呼び、それから次々と彼が秘かに書きためていた膨大な著作が発表されていったわけです。

ハックスレーは、生前からテイヤールを知る少数者の一人だったので、この本の出版にあたって、「テイヤール・ド・シャルダン——生涯と思想」という長文の解説を

---

(32) カトリック教会内の司祭修道会の一つ。一五三四年、イグナティウス・デ・ロヨラによって創立された。「耶蘇会(やそかい)」とも書かれ、同会士は「ジェスイット」とも呼ばれる。
(33) 古生物を研究する科学。生物を扱う点では生物学の一分野であるが、化石を直接対象として地質時代の生物現象を研究する点では地球の歴史科学である。
(34) 一九二七年、中国の周口店遺跡で発見された化石人類。周口店ではその後、四〇体分以上の化石が発見されたが、これらは太平洋戦争開戦以来、行方不明となっている。

付け加えています。それを読むと、二人がどういう関係だったか、彼がテイヤールをどう評価していたかがよくわかります。

『現象としての人間』は、真に非凡なひとの手になる真に非凡な著作である。テイヤール・ド・シャルダンはイエズス会の司祭であるとともに、すぐれた古生物学者でもあった。彼は『現象としての人間』のなかで物質的、外的世界と精神的、内的世界とのあいだに、三重の綜合をなしとげた。すなわち、過去と未来との綜合、多様なものと単一なものとの綜合、多と一との綜合である。彼はそれを、時間における発展と進化の状態に関連させて、進化の相のもとに探究したあらゆる事実と問題を吟味してなしとげている。逆にいえば、彼は認識しうる現実の全体を静止した機構としてでなく、一つの過程として直覚しえた。したがって彼はその永続的で広汎な過程の方向に沿って人間の意義を探求する方向に進んだ。（中略）

まず個人的な関係について述べてみたいが、それには個人的な理由がある。わたしがテイヤールにはじめて会ったのは一九四六年パリにおいてであったが、そのときわたしたちは、二十代の青年期からずっと同じ問題を探求し、おたがいに平行した道をたどりつづけてきたことを発見した。さて、わたしが自らの道に沿って独自にたてた二三の道標についていうならば、一九一三年にすでに、わたしは人間の進化と生物の進化を同一の過程の二つの相として考えていた。つまり進化する物質の特性が根本的な変化をうけ、『臨界点[35]』によって二つに分かれた二つの相にほかならないと考えていた。（中略）

『現象としての人間』は、発表されたテイヤールの著作のうちでたしかにもっとも重要なものである。（中略）

彼の第二の、そしておそらくもっとも重要な点は、絶対的に進化論の見地に立たねばならないとする点である。（中略）現象はじっさいには決して静止したものではない。それはつねに過程であり、あるいは過程の一部である。科学のさまざまな部門が協力して証明したところによれば、宇宙は全体として、巨大な一つの過程、すなわち発生もしくは進化と名づけられるにふさわしい存在と組織の新しい水準を形成し確保するような過程と考えねばならない。そのために、テイヤールは精神あるいは精神的

(35) 低温相から高温相への相転移において、低温相が存在しうる限界の温度。転じて、ある状態から別個の状態へ変貌を遂げる際の、変化前を維持するギリギリの状態。

機構の漸進的進化をあらわすのに、精神形成というようなことばを用い、宇宙論ではなく、宇宙形成について語るべきであると再三力説している。また同じように、原始人類の祖先がじっさいにしだいに人間的なものになっていく（そして今なおその歩みはつづいている）過程、すなわち潜在的人間がしだいにその可能性を実現していく過程を表わすために人間化というような含蓄ある用語を好んで用いている。人類が現段階をこえて新しい名称を必要とするような段階にむかう過程も推測しうるが、その未来の段階を表わすために、超人間化という用語を用いて、彼の進化論的述語の意味内容をひろげている。（中略）

テイヤールは生き生きとした、人をとらえずにはおかないような術語のもつ重要さを鋭く感知していた。一九二五年に彼は、生物圏に対立するものとして、というよりもむしろ生物圏の上に重なるものとして、また人間化を推進する変化の主体として働く精神の圏を表わすために、精神圏 noosphere（あるいはそのことばのかわりに精神社会的な漸進的進化といってもいいだろう）という新造語をつくり出した」

このあたりを読んだだけでも、テイヤール・ド・シャルダンの進化論が、スペンサーなどは及びもつかない壮大な理論を展開していたことがわかるでしょう。

第三章　全体の眺望を得る

神学×科学

(『現象としての人間』を示して) これがテイヤール・ド・シャルダンの主著です。

この本には、カトリックの神学博士ウィルディールスという人の序文がついてまして、そこに、カトリック教徒への注意書きがある。たとえば、「本書は科学者の眼に映ったままの宇宙の現実を分析した叙述にすぎない」(『テイヤール・ド・シャルダン著作集』の該当箇所に、同書の訳が必ずしも正しくないと考える立花が若干の手を加えた。以下同様) などと、書かれています。なんだか冷たいひびきがありますね。事実冷たいんです。カトリック教会は、生前テイヤール・ド・シャルダンに著書の発表を許しませんでした。彼は教会に忠実な人でしたから、不本意でもその制限に終生服していました。しかし、死後、そのような制約は著作権継承者にまで及びませんから、すぐ友人らの手で遺稿刊行委員会ができて、作品の刊行がはじまったわけです。カトリック教会の側では、禁書目録にのせるべきだという強硬意見もあったようですが、そこまでやったら、それ自体一つのスキャンダルになるだろうということで、教会側の視点を序文という形ではじめにのせるにとどまったわけです。だから、これはあくまで、科学的分析の本なんだよと強調してるわけです。イエズス会の司祭が書いた本ではあるけれども、宗教的な真理というわけではないんだよといっているわけです。

実際、ここには宇宙のなりたち、生命の起源、人間の出現が論じられていないながら、すべては科学的に知られている事実をもとに、独特の進化論が述べられているだけで、神の手による天地創造もなければ、アダムとイブの人間創造の話もありません。そこには北京原人やジャワ原人[1]について述べられていても、アダムのアの字も出てきません。アダムとイブの神話が正しければ、当然人祖一元説[2]〈全人類が一組の男女から生まれたとする〉になるわけですが、「思考力の発生」の章〈『現象としての人間』〈著作集第一巻〉〉で、人祖一元説についてテイヤール・ド・シャルダンはわざわざ註を入れて、「人祖一元説について云々することは科学としての学問から逸脱する」とまでいっています。それに対して、教会の神学博士の序文では、それは「科学には、人類が一組

(1) ドイツの生物学者E・ヘッケルがいつか発見されるはずの人類の祖先の呼名として提唱し、のちにオランダの解剖学者E・デュボアがインドネシアのジャワ島で実際に発見した化石人類に与えた名称。
(2) テイヤール・ド・シャルダンが、進化論と神学を調和させて、人類の起源と進化を論じた哲学的仮説。

だけの男女から生まれたのか、数組の男女から生まれたのかを決定するのに必要な資料がないことを認めた上でのことである」と、そのくだりに勝手な註釈をつけています。そして、「人間の起源について述べた章は確かにもっとも興味深いものであるが、科学の現状に精通しない読者には、著者が生命の連続性を極端に拡張しすぎ、人間と動物との区別を十分に考慮せず、また人間の霊魂の生成に神の介在が不必要だとしているような印象を与えるかもしれない」といっていますが、事実、テイヤール・ド・シャルダンには、人間だけは神によって特別に創造された特別な存在だから他の動物とは本質的に全くちがうのだといった、キリスト教の立場から書かれた本によくありがちな叙述は一切ありません。むしろ、進化の流れは生命の誕生以前に物質進化としてはじまり、その流れが生命進化史にそのまま引きつがれ、やがて人間を生まれさせたのだという一つづきの大きな流れとして進化をとらえていることが明らかです。しかしそれでは、教会の立場としてはまずいわけです。進化はあったとしても、動物と人間の間には不連続の大きなギャップがあって、それは神の手の介在なしには飛びこえられないものだとしたいのです。しかし、テイヤール・ド・シャルダンはそういうことをいわないものですから、教会側で勝手に、「著者は『連続の不連続』をきわ立たせようとし、また現象論的叙述によって哲学的議論ないし神の介在を必要とする神学的議論に十分な余地を残そうとしていることは明白である」といった苦しいこじつけ註釈を付け加えてしまうわけです。そして、「もちろん著者はいたるところで、ペルソナ[3]であり、創造者であり、かつ宇宙の進化を生起せしめ、それを司る神の現存を前提としている」といいますが、これはあくまで教会側はそう考えているということで、テイヤール・ド・シャルダン自身がそんなことを述べているところは一ヵ所もありません。

むしろ逆に、テイヤール・ド・シャルダン自身が書いた「はしがき」では、その冒頭のところで、はっきり次のようにいっています。

「本書を正しく理解するには、形而上学[4]的な著作や神学的試論の類としてではなく、もっぱら科学的研究報告として読んでもらわなければならない」

(3) 人格的存在者のこと。正確には「それ自体で完結し、理性的本性を持つ個的な実体」と定義される。単なる類、種などの普遍的集合的なものでなく具体的個別なものであり、しかも非理性的・受動的で自己意識も帰責能力も持たぬ動植物とちがって、理性的かつ他のものに依存することのない完全な自発性をそなえたもの。

これは科学的研究報告なんです。だから、現象的な記述があるだけです。「単に現象だけである。したがって、本書のうちに、世界の解明を探してはならない」（傍点原文。以下同様）

といっても、科学（生物学、古生物学）から得られた知見をただ書きつらねたという書物では全くないわけです。単なる科学的レポートではなく、科学的ファクトの上に独特の人間論、宇宙論、進化論が展開されていく、きわめてユニークな思想的書物です。

これがそういう書物になってしまったことについて、テイヤール・ド・シャルダンは次のように説明します。

「純然たる事実というものは存在しない。いかなる経験も、たとえどんなに客観的なものであっても、科学者がそれを公式化しようとすると、どうしてもすぐに仮説の体系に包まれてしまう。（中略）宇宙全体に関する映像となると、主観的な空気が圧倒的なものになる。子午線に沿って極に近づくときに起こるように、科学、哲学、宗教は、漸次近寄ってついに一点に集まらざるをえない。といっても、科学、哲学、宗教は、どんなに近寄っていっても、他と混じりあうことなく、それぞれの角度から、異なった次元において、実在をどこまでも追求していくのである」

つまりこれは科学論でありながら同時に哲学論でも宗教論でもあるわけです。しかもそれを思弁の上でやるのではなく、あくまでも実在の追求の上に、実証的に展開しようとするわけです。

意味づけの階段を登る

ここで、テイヤール・ド・シャルダンが述べている「純然たる事実」などというものは科学の世界においても実在しないということは、とても大事なことです。科学というのは、すべて純然たる事実の上に組み立てられているではないかと思うかもしれないけれど、そういうものでもないんですね。

我々は事実を語るときに、何らかのコンテクストの上で語るわけです。コンテクス

（4）哲学の諸分野、諸原理の最高の統一に関する理論的自覚体系。自然的存在者の諸分野、諸原理を超えた最高の原理、実在を扱う超自然学と解され、のち一般に経験的現象を超越した実在、原理あるいは仮説、想定に関する理論的考察という意味に用いられるようになった。

トを離れたピュアな事実は、それだけでは意味をなさないから伝達不可能です。伝達不可能というより、伝達する意味がない。我々はいつも事実を何らかの意味があるコンテクストにおいて語っている。意味がない事実は無視する。我々人間は同じ意味空間を共有する共同体、コミューンとして存在している。コミューンのメンバーによる絶えざるコミュニケーションがその共同体を維持している。コミュニケーションとは意味の交換です。意味は、意味空間の全体性とのかかわりにおいて成立する。そのかかわりがコンテクストなんです。そのコンテクストを離れた、ピュアな単体の事実＝意味というものはない。そして、コンテクストというのは、何らかの隠された仮説を背景として成立する。意味空間というのは、そういう意味で、仮説の集合といってもいいわけです。サイエンスの世界というのは仮説の集合です。体系立てられた仮説の集合です。何らかの事実を語ろうとすると、「すぐに仮説の体系に包まれてしまう」というのはそういうことです。

科学の生データはどうなんだと思うかもしれない。科学はさまざまな実験事実、観察事実をもとに構成されている。実験（観察）を終えたあとでは、実験事実に意味が与えられるかもしれない。しかし、現に進行中の実験で、刻一刻と計測機器上に積み上げられていく生データはどうか。それこそピュアな事実というものではないのか。こういう考えがあるかもしれない。

よく考えてみると、それも同じことなんですね。そこにもピュアな事実はありません。そもそも、実験とか観測というのは、意味を求めて現実からあるファクトを引き出す作業です。それがデータと呼ばれるものです。実験も観測も無目的にはやりません。ある目的を持って、その目的を実現するための計画を立てて行います。実験や観測が成功するか否かは、ほとんどその段階で決まるといってもいいくらい、その設計が大事なんです。それは目的達成に論理的にきちんと結びついていなければならない。どういうデータが得られたら何がいえるかをあらかじめ考え抜かなければならない。そのデータを得るための戦略はどう立てればよいのか、どういう方法論があるのか、どういう機械が使えるのか、そういう点を考え抜いた上で、実験も観測もよく設計しなければならない。大学でやる教育のほとんどはこの実験（観測）設計のノウハウを与えるためにあるといっても過言ではありません。これは自然科学に固有の話というわけではなくて、人文科学でも同じことです。何かあることを知的に実現しようと思ったら、そのための戦略を練り、計画を立てることが大切なんです。

結局、実験（観測）を通じて、データを引き出そうとする行為そのものが、ある意味上のコンテクストにもとづいてなされるということなんですね。それは設計段階においてすでに意味的に無色透明な「純然たる事実」ではなくなっているということです。

といっても、自然を色づけして見るなんてケシカランなんてナイーブなことはいわないでください。そもそも自然は、色づけしないと見えないんです。色づけしない自然は、ノッペラボーで無色透明でただ見ても何も見えないんです。見るという行為そのものが、色づけを含んでいるといってもいいんです。これは比喩的に一般的表現としていっているのですが、実は現実でもそうなんですね。生物系の学生は、これから顕微鏡で生きた細胞を見るという訓練を山ほどやらされるわけですが、多くの場合、ただ細胞を見ても何も見えません。倍率がある程度大きくなると、本当に無色透明で何も見えないんです。標本に染色という色づけをしてはじめて見えるようになる。染色の仕方で、同じものがちがって見えてくる。あるいは、光学系を工夫して、光の位相差で見るとか、暗視野において見るとか、ノマルスキー型微分干渉顕微鏡[5]といって二種類の偏光を直交させて見るとか、標本に蛍光色素をつけたものを特殊な光線で見るとか、いろんな工夫をして、普通では見えないものをやっと見ているんです。一つ一つの工夫によって、見えてくるものがみんなちがいます。

これは文字通りに見るという行為ですが、もっと広義の見るという行為、つまり科学のいろんな領域で用いられるさまざまな観測・計測機器を利用してデータを取るという行為全般についても同じことがいえます。やはり普通では見えない（感知できない）ものを見える（感知できる）ようにするために、いろいろな工夫をこらしているんです。そういう観測・計測機器はすべて、ある目的を持って設計されたものですね。ある原理にもとづいて、意味あるデータの抽出をするようになっているわけです。そのデータは、その意味空間における特定のコンテクストに従ってならべたときにだけ意味を持つようになっている。データというのは別の意味空間においたら何の意味も持たない。ただの数字または記号の羅列になってしまう。

そもそも、どのようなデータのどのような単位も、それ自体、その背景に巨大な科

（5）金属表面などの反射する試料を研究するのに用いる干渉顕微鏡（透過光と同一光源から出た経路の異なる光のあいだで干渉を起こさせる顕微鏡）の一種。

学の体系を引きずっています。いや単位でなくたっていい。サイエンスではしばしば単位を持たない無次元量(6)が大きな意味を持つ数量として定義されることがあります。そういう定義されたナントカ数というのも、その背景に一つの科学の体系を引きずっている。ということは、そういうデータを、ナマの自然全体のある局面から引きずり出してくることそれ自体が、一種の意味づけだということなんですね。あらゆる実験（観測）において、一次データは、無性格な意味フリーの数値として出てくるわけではない。そういうデータを取るということそれ自体がナマの自然に対する一次の意味づけといってよい。実験（観測）で得られた一次データを解析してその意味を考える、いわゆる解釈的意味づけのほうは、それに対して二次的な意味づけということができます。

つまり、意味づけには次数があるということです。実験（観測）事実を整理して得られたある局所的な自然のプロフィールを、その領域のサイエンス全体が与える領域グローバルな知識の全体像とのコンテクストにおいて考える意味づけは、三次の意味づけといってよいだろうし、さらに、その上のレベルとしてトータルな自然全体との関連において意味を考えることは、第四次の意味づけといってよいかもしれません。

さらにその上のレベルとしては、自然の全体像をとらえるとき、時間軸を入れて歴史を含んだ全体像として自然をとらえるという考え方もあるでしょう。

意味づけの次元を上げるたびに見えてくるものがちがうはずです。結局、人間の思考というのは、より高次の意味づけを求めて認識の階段を登っていくことなのかもしれません。

「見ること」の重要性

テイヤール・ド・シャルダンが他の進化論者とちがうのは、進化論のより高次な意味づけを求めて、その階段を比類ない高みにまで登っていったことです。

進化とは何なのか。それはどこに向かおうとしているのか。それは無目的なその場かぎりの偶発的な変化の積み重ねなのか。それとも、どこか目的地があって、そこに向かって突き進みつつあるのか。テイヤール・ド・シャルダンをとらえていた問題意識はこのようなものでした。

（6）次元を持たない物理量。たとえば、同じ次元を持つ二つの量の比は次元を持たない。

そのような問題について、彼がどのような考えにいたったのかについては、もうちょっと先に行ってから述べることにして、ここでは、この本の「見ること」と題した「プロローグ」についてちょっと語っておきたいと思います。この本には「序文」があって、「はしがき」があって、さらにこの「プロローグ」がついているんです。これがこのユニークな著作の全体像を見るのにとても役に立つ上に、一般にものを考える上でとても大事なことが述べられているので、きみたちぐらいの、やっとはじめて本当にものを考えるようになった若い人たちに読んでもらいたいと思ったわけです。

　テイヤール・ド・シャルダンは、この本はどういう本であるかを自分で説明して、こういっています。

「本書におけるわたしの唯一の目標、そしてわたしの真の努力は、すでに繰りかえして述べたように、もっぱら見ることに徹するということである。すなわち人間をも含めたすべてのわれわれの体験について等質で一貫性のある眺望を発展させること、くり広げられた現象全体を見ることである」

　見ることをなぜこれほど重視するのかといえば、「見ることこそが人間の認識の最も本質的な部分を構成している」からです。見ることはわかることです。あることに通じているということは、そのことに関して全体的な眺望が得られているということです。もちろんこれは比喩的な意味でいっているんです。つまり物理的に見ることで得られる物理的眺望についていっているのではなく、高次の認識についていっているわけです。進化について知っているというためには、進化という現象全体の眺望を得る必要がある。進化の歴史の全体像が見えてこなければならないし、進化のメカニズムの全体が見えてこなければならない。他の領域についても同じことがいえます。つまり、学べば学ぶほど、その世界のことがもっとよく見えてきて、もっと大きな眺望が開けてくるわけです。眺望が空間的に開けてくるだけでなく、時間的にも開けて、歴史が見えてくる。構造的な眺望も開けてきて、仕組みが見えてくる。そのような眺望が、各方面で開けてくれれば、やがて、「世界が見えてきた」「人間が見えてきた」「自分が見えてきた」といえる日が来る。

学ぶということは、そういう日が来ることをめざして、より広くてより質の高い眺望を獲得するための努力の積み重ねなんですが、たいていの人は、そういうところにたどりつくはるか以前のところで挫折して努力を放棄してしまいます。そして、イソップ(7)の「酸っぱいブドウ(8)」のキツネと同じ心理におちいってしまう。努力の継続はムダであるという理屈を自分でひねりだして、その時点で自分がすでに得ている眺望が最良最善あるいはそれに近いものであると自分にいい聞かせて自己満足の城の中に退却してしまう。世の中の大半の年長者たちはそうです。オレはもう世の中のことはなにもかもわかっているみたいな顔をしている連中は、みんな途中で学ぶ努力を放棄してしまった連中なんです。きみたちは若くしてそうならないように、心のどこかに、「ハムレット」のあの有名なセリフ、「ホレーショ君、この天地の間には、きみの貧しい頭ではとても考えが及ばないようなことがたくさんあるのだよ」をしまっておいて、ときどきそれを自分にいい聞かせてください。

見るということが、人間の認識において圧倒的に重要な役割を果たしているということは、脳科学からもいえるんです。脳についてはまだまだわからないことが多いし、視覚のメカニズムについてもわからないことだらけなんですが、人間の脳が受けとる感覚情報の量において視覚情報が圧倒的であるということははっきりしてるんです。

感覚情報は感覚器官から固有の神経線維によって脳に運ばれていきます。その神経線維の数が感覚器官別にかぞえられているんです。視覚情報を運ぶ視神経は、両眼あわせて一六〇万本あります。それに対して、視覚に次いで情報量が多いと考えられる聴覚情報を運ぶ聴神経はどうかというと、三万本から四万本しかないんです。ケタが二つもちがうんです。いかに視覚情報が情報量において圧倒的であるかわかるでしょう。

この他に触覚があります。触覚については神経系そのものについて、まだよくわからない部分が多くて、はっきりしたことはいえないんです。それというのも、触覚と一口にいっても末端のセンサーが機械的変形、振動、温度感覚、痛覚など拾い上げる情報別に多様な種類にわかれているという事情があるからなんです。最も触覚が発達しているのは手指ですが、その機械的変形を伝える神経線維だけで、一万七〇〇〇本あるといわれますから、いろいろ全部あわせたら聴覚情報より多くなるかもしれませ

(7) Aesop　前六世紀のギリシアの寓話作家。元々はサモス島の奴隷で、解放後はリディア王クロイソスの寵をうけたといわれる。現在「イソップ童話」といわれるものは、ヘレニズム期以降にまとめられたものである。

(8) イソップ寓話の一つ。高い枝になったブドウを取れなかったキツネが、「あれは、きっと酸っぱいに違いない」と、自分を納得させるためにいった台詞。転じて、負け惜しみのこと。

んが、視覚情報とくらべたらやはりケタちがいです。

もっとちがいが出てくるのは、感覚情報の発信源である感覚細胞（センサー）の数です。感覚細胞で、外部世界から来る物理情報が神経回路を走る電気パルスに変換されるわけですが、視覚の場合は、それを網膜にある視細胞がやっています。その数なんと二億五〇〇〇万個もあります。それに対して聴覚系で音波を受けとめる鼓膜の奥にある蝸牛管基底膜の有毛細胞は一万五〇〇〇個しかないんですね。嗅覚系の嗅細胞は五〇〇〇万個といわれますから、それよりはるかに少ないんです。

いずれにしても、ここでも視覚情報が圧倒的に多いんです。それよりもっと注目すべきは、センサーの数とそれにつながる神経線維の数のちがいです。視覚系では、神経線維の数よりセンサーのほうが二ケタも多い。それに対して、聴覚のほうは逆です。センサーより神経線維のほうが多い。これはどういうことかというと、視覚系では多数のセンサーからの情報が統合されて一本の神経線維の情報になるのに対して、聴覚のほうは、一つのセンサーに何本もの神経線維がついているという形になっているんです。時には一つのセンサーに一〇本以上もついています。触覚なんかになると、こんどは一つの神経線維にセンサーが幾つもついているという形をとります。これはどうしてそうなるのかというと、網膜は複雑な構造をしていて、いろんな神経細胞がここで組み合わされて回路を作っているんですね。つまり、網膜というのは、そこに単にセンサーがアレイ状[9]にならんでいるというものではなくて、この全体がマイクロプロセッサーみたいに働いて、ここである程度の情報処理をしてから、処理ずみの情報を送り出しているんです。つまり網膜というのは、ここで脳の一部といってもいいくらいの働きをしているんです。ですから、視神経の内部を走っている情報は、一次的な情報処理がすでにすんだ質が高い情報なんです。それに対して、聴覚系のように、一つのセンサーに神経線維が何本もついているような構造をしていると、系としてはロバスト（頑丈）になるけれども、情報の質は高いものにならない。結局聴覚器官は末端で情報処理を行わず、もっぱらセンサーが発する原始情報を脳に送り出すだけということになります。

この差も大きいんですが、さらに、脳に行ってからの情報処理で、ものすごく大きなちがいが出ます。視覚野というのは後頭部にあります。一七野と呼ばれるところが

（9）同種の物が整然と並んでいる状態。

第一次視覚野になっていて、一八野、一九野が第二次視覚野、第三次視覚野と呼ばれています。そのあとさらに四次、五次の視覚野があります。視覚情報はまず、第一次視覚野に入り、順次情報処理を受けながら、前のほうに送られていきます。やがて、この頭頂葉と呼ばれる部分と、側頭葉と呼ばれる部分の連合野に行って、そこで、他の領野から来る情報と統合されます。低次の視覚野では、形とか色などの特徴抽出が行われ、高次の視覚野に進むと、働きが分析されるなど、領野別の分業体制になっています。その全体像はものすごく複雑で、まだまだ細かいことはわかっていません。ヒトの脳の研究は電極を刺して刺激してみるなんてことができないので、なかなか細かいことがわかってこないのです。

脳の研究はどうしても動物の脳を実験材料にすることが多く、高次の情報処理の研究だとサルの脳で研究することになります。ヒトの脳に対しては脳にダメージを与えるような侵襲的な実験ができません。心理学的なあるいは認知科学的な実験しかできません。ヒトの脳を直接いじれるのは、すでに障害が起きている脳を治療目的でいじる場合だけですから、どうしても限りがあります。それに対して、サルの脳では、電極を刺して刺激してみるとか、サルに何かのタスク（仕事）を与え、そのとき脳のどの細胞にどんな電気信号が出るかを拾って解析するとか、最後はサルを殺して脳を解剖し、電極がどこに刺さっていたかを確認するとか、乱暴なことができるわけです。おかげで、サルの脳については、ずいぶん細かなことがわかってきています。視覚野については、約三〇の小領域にわかれていて、それが相互にどう連関しあっているのかがわかっています。わかったといっても、主としてわかっているのは、どことどこがどうつながっているのかという解剖学的情報で、それぞれの小領域がどういうことをしているのかという機能面の情報は少しずつわかってきましたが、まだわからないことが大部分だし、まして、こういう回路を通じて、視覚情報がどういう処理を受け、その情報がどういう形で流れて、他の情報とどう綜合されるのかといった、情報処理系としての構造情報になると、さっぱりわからないという現状なんです。

といっても何もわからないというわけではなくて、大ざっぱなことはわかっています。大ざっぱにいうと、頭頂葉の連合野では、視覚情報から抽出された空間情報が綜合されて、空間の認知がなされるし、側頭葉の連合野では、視覚対象の形や色、動きなどの情報が綜合されて、対象物を認知する作用が営まれていると考えられています。

側頭葉では、聴覚情報からの認識作用も営まれていますが、圧倒的に視覚情報の処理が多く、側頭葉の三分の二以上は視覚情報を処理しているといわれます。大脳皮質の神経細胞は全部で一四〇億といわれていますが、領野別にどういう情報処理をしているかを見ていくと、もっぱら視覚情報しか処理していない視覚野的領域と、視覚野から来る情報を他の情報と合わせて利用する連合野的部分を合わせると、それが脳でいちばん大きいということはわかっていて、一〇億単位のニューロンがその仕事に従事していることは確実です。

よく「百聞は一見にしかず」といいますが、脳科学からいって、その通りなんです。本をいくら読んでもわからなかったことが、現物や図面を見たら一発でわかったということがよくあるでしょう。脳は見てわかるようにできてるんです。わかるということはそのイメージがつかめるということでもあるんですね。イメージなしの抽象的理解の場合、あとでそれがとんでもない誤解だったとわかるということがよくあります。

これまでの知識世界は言語情報が偏重されていて、本なんかでも、活字がギッシリの本が高級で、図表や写真やイラストが入ったヴィジュアルな仕立ての本は程度が低いと思われていた。しかし、最近はそういう風潮が影をひそめて、知的コミュニケーションは、どんどん視覚中心になりつつあります。特にサイエンスの世界はそうですね。学会なんか行くと、研究発表はOHP、スライド、ビデオ、コンピュータ図解表示、CGが中心で、言語情報はその説明につけた程度になっています。おかげで情報伝達が早くて、時間あたりの密度がものすごく濃いものになっています。伝統的な人文科学の世界では、まだまだ言語情報偏重でやっている分野がありますが、ああいう世界はいずれ衰微せざるをえませんね。

七つの感覚を身につけよ

見ることを重視するテイヤール・ド・シャルダンは、プロローグで、こういっています。

「見ること、生のすべてはここにあるといえよう——見ることが生の究極であるとまではいわないにしても、少なくとも生の本質といえるだろう。より以上の生に達することは、いっそう緊密な結合にいたることである。これが本著作の概要であり、結論である。しかし、これから述べるように、意識の高まり、いいかえるなら見る力の増大によってはじめて、一致・結合は深まるのである。だからして生命の世界の歴史とは、宇宙のなかをいっそう深く見とおす力がますます研ぎ澄まされ完成されていく眼の形成史といえるだろう。動物の完成としての人間（思考する存在）の優位は洞察力と観方の綜合力とによって測られるといえないだろうか？　だから、より以上にそしてよりよく見ようと努めるのは、気まぐれではないし、好奇心やぜいたくでもない。見るか、それとも破滅するか。（中略）これが最高の段階において人間の条件なのである」

このところは、テイヤール・ド・シャルダンの思想のエッセンスのようなものだから、これだけではわかりにくいかもしれません。

彼は基本的にこう考えているわけです。生命進化の流れを見たときに、そこにはその全体を貫く一つの方向性がある。それは、要素がより緊密に結合することによって、その複雑性を高めていくという方向である。複雑性がある臨界点を超えたときに、そこに意識というものが生まれる。それを彼は、「《複雑性＝意識》の法則」と名づけています。要するに複雑化がもたらしたエマージャンス（創発的進化）として意識が生まれるのだというわけです。脊椎動物[10]が生まれ意識が生まれると、その後の進化の方向は、意識がどんどん高まっていくという方向に、複雑化の流れは進んでいく。その頂点でもう一度エマージャンスが起こり、思考力を持つ動物（ヒト）という存在が誕生する。この流れを別の方向から見ると、それは眼の形成史だといえるというわけです。もっとよく見たいという願望が意識をどんどん高め、進化の流れをここまで突き動かしてきたというわけです。だから、もっとよく見たいと望むことは、人間の条件だというわけです。

では、この進化の流れがさらに進んだらどうなるのか。次なるエマージャンスとしてはどういうことが起きうると考えられるのかというのが、テイヤール・ド・シャルダンの思想の方向性になるわけです。

その話に進む前に、このプロローグにおいて、彼は人間の最も大事な能力である「見ること」について大切なことをいろいろ語っているので、そこのところを見てお

---

(10) 脊索動物門脊椎動物亜門に属する動物の総称。中枢神経が発達し、外界の変化に対応しようとする方向に進化してきた複雑な体制を持つ動物群。海、淡水、陸のほとんどあらゆる環境に生息し、大型のものが多い。

きましょう。

（プロローグのその場所を示して）人間のこれからを考えるためには、人間はもっと見る能力を高める必要がある。自分の視力を調整する必要があるというわけです。子供が成長過程で本当に見る力を身につけていくために、眼に入ってくる映像をただ受動的に受けとめるだけでなく、それをどう受けとめれば正しくものを見たことになるのか、ある程度訓練によって身につけることが必要だったように、我々もこれからもっとよりよく見る力を身につけるために、新しい感覚を養う必要があるというわけです。そしてここに、養うべき七つの感覚をあげているわけですが、これは実によくまとめられていて、ぼくからも、こういう感覚をぜひ身につけろといいたいものです。だからプリントにして配ったわけで、あとでゆっくり、これを読み直してみてください。こういう感覚を身につけておくことが、これからどんなことを考えるときも、必ず役に立ちます。

まず、はじめの四つを見ると、これは数量的な感覚です。

「一、広大さと微小のなかに感ずる空間の無限さの感覚。われわれのまわりにひしめく事物を、測りしれない半径の球体の内部にあるものとして、分解し組立てる感覚。

二、深さに対する感覚。われわれの鈍重さがいつも過去という薄片に収縮させがちな諸事象を、無限の連鎖に沿って、無限の時間の間隔に押しもどそうと努める感覚。

三、数に対する感覚。宇宙のもっとも小さな変化にも与っている、物質や生命の要素の驚くほどおびただしい数を、眉ひとつ動かすことなく、発見し、感知する感覚。

四、比率の感覚。種々様々の大きさとリズムによって、無限なひろがりと微細なものとを区別し、また星雲と原子とを区別している縮尺の差をどうにかこうにか実感しうる感覚」

この世界を本当にとらえようと思うと、どうしても日常的なスケールではとらえきれなくなります。そこで、こういう無限大のものから無限小のものまでを一望のうちにとらえる能力が必要になってくるのです。

べき乗でものを考えよ

そういう感覚を身につけるのにいちばんいい方法は、べき乗でものを考えることに慣れることです。要するに指数関数的にものごとをとらえよということです。日常感覚的には、無限大の世界も無限小の世界もとらえきれません。しかし、指数関数で考えると、たちまちそれが可能になります。たとえば、ビッグ・バンはどれくらい前か知ってますか？　だいたい一四〇億年前といわれますね。ではそれは何秒前か知ってますか？　10^{18}秒前にちょっと欠けるあたりです。では生命の起源はというと、10^{17}秒前ぐらいです。では人類の起源はというと、10^{14}秒前くらい。キリスト誕生は10^{11}秒前。それに対して人間の平均寿命が何秒だか知っていますか？　約10^{9}秒ですね。指数関数で考えると、ビッグ・バンから今日ただいまのこの時間まで、秒単位で統一して考えることができるんです。

どうしてこんな数字がスラスラ出てくるのか不思議でしょう。タネ明かしをすると、（「時・空計算尺〝ガリバー〟」を示して）実はこういうものがあって、その時間尺のほうの目盛を読んでいただけなんです。これは、和田昭允先生[11]という、もう退官されましたが東大の有名な先生が作ったもので、時間尺と空間尺が裏表になったものなんです。空間尺は全部メートル単位になっていて、たとえば、宇宙の果て（宇宙観測の限界）は、10^{26}メートル彼方だし、二三〇万光年離れたアンドロメダ星雲は10^{22}メートルあまり離れている。火星までは10^{11}メートルあまりだし、東京－ニューヨークは10^{7}メートルくらいだといったことがすぐわかる。そして小さいほうでは、ゾウリムシは10^{-4}メートルくらいだが、ウィルスは10^{-7}メートルで、水素原子の大きさは10^{-10}メートル以下だといったこともわかる。

この計算尺のいいところは、副尺というのがあって、時間だとマイクロ秒からエジプト文明まで、空間だと地球の直径から水素原子の大きさまでといった、日常感覚的に理解可能なスケールが切ってあって、それを正尺にあてると、テイヤール・ド・シャルダンのいう四番目の感覚、比率の感覚がそのまま得られることです。

これは大学生協とか大きな文具店で売ってますから、ぜひ買って身近においてときどきながめてください。テイヤール・ド・シャルダンの四つの感覚が自然に身につきます。

(11) わだ　あきよし（一九二九〜）　日本の分子生物学者。世界初のバイオリアクターを開発した。

第四章　人間の位置をつかむ

自然界における人間の位置

〝ガリバー〟は基本的に時間と空間の対数尺ですから、テイヤール・ド・シャルダンのいう七つの感覚のうち、一、二、四の感覚を養うのには役に立ちますが、三の「数に対する感覚」を養うのには役に立ちません。「数に対する感覚」というのは、要するに、この宇宙で起こるどんな小さな物質的変化、あるいは生命現象上の変化にも、驚くほどおびただしい数の要素（エレメント）がかかわっているということを知る能力です。

この世界で起きる変化は、ほとんどが基本的に化学的現象として起きています。化学的現象は、分子の相互作用で起きます。分子は、高校で化学をかじった人なら誰でも知っているように、一モル[1]の物質（水なら一八グラム、水素なら二グラム、酸素なら三二グラム）の中には、必ずアボガドロ数[2]、6×10^{23}個の分子があるわけです。10^{23}といったら、一兆の一〇〇〇億倍です。どんな小さな化学変化にも、とてつもない数の分子がかかわっているわけです。

そのようなエレメントが、この宇宙にはどれくらいあるか。分子だと分子によってあまりに大きさにちがいがありすぎますから（生体高分子だと分子量何万というものまでありますし）[3]、さらにその下のレベルの原子、原子も大きさにちがいがありすぎるので、その下の核子（陽子、中性子）のレベルで数えて比較すると、DNAが10^6から10^9。細胞が10^{12}から10^{15}、人間はその細胞が六〇兆あるから10^{28}くらいです。地球はどれくらいかというと、重さにすると10^{27}グラムですが、核子の数でいうと10^{51}です。銀河系が10^{44}グラムで、核子の数は、10^{68}。宇宙全体の核子の数はというと、10^{80}ですね。

我々は、全宇宙の原子の数なんていうと、つい考えることを放棄して安易に「無限」なんていいがちだけど、その程度のことだったら、ちゃんと数える手段があると

（1）モルは〇・〇一二キログラムの炭素一二の中に存在する原子の数と同数の要素体を含む系の物質量である。記号はmol。

（2）原子、分子、イオン、電子などの物質粒子一モル中に含まれる粒子の数。基本定数の一つで、原子量の基準に従って、質量数一二の炭素の同位体^{12}Cの一二グラム中に含まれる原子数で定義され、その値は$6.0221415 \times 10^{23} mol^{-1}$である。

（3）生物が作るタンパク質、核酸、多糖類などの、アミノ酸、ヌクレオチド、ブドウ糖などが共有結合した巨大分子をいう。

いうことですね。そして、宇宙スケールでものごとを考えるということは、対象のとらえ方の全方向にわたってこのような考え方をして、一見無限なるものも自分の感覚と知性のコントロールの下に置くということです。

こういう自然世界のエレメントの数にくらべたら、人間社会のエレメントの数なんてどうということはありません。人間社会のエレメントは人間そのものですが、いま世界人口が五〇億ちょっとでしょう。10^9で、アボガドロ数の一〇〇兆分の一です。

五〇億人なんて、一人二人と順番に番号をつけることさえできます。いまパソコンのハードディスクのメモリがどんどん増えてきて、四ギガ、五ギガが珍しくなくなりました。ギガは一〇億ですから、四〇億バイト、五〇億バイトということです。一バイトとは二進数で八桁の数字を意味します。スーパーコンピュータになると、テラバイト、一兆バイトの世界です。巨大メモリをならべた巨大データベースの世界では、いまやその上のペタ（10^{15}）バイト、エクサ（10^{18}）バイトの世界に入ってるんです。世界中の人間に番号をつけてならべて、その一人一人について、数万ページに及ぶデータファイルをつけるくらいのことまでできるんです。それどころじゃありません。これまでこの地球上に生まれて死んだすべての人、つまり人間の歴史がはじまって以来の全人口がどれくらいかというと、実はそう大したものじゃないんです。もちろん正確にわかっているわけじゃありませんが、世界総人口は相当の間一〇〇万人以下だったんです。

氷河時代[4]が終わった一万年前あたりから人類は急速に増えはじめます。文化的にも新石器時代[5]に入り、原始的な農業がはじまりますが、そのころまだ世界総人口は五五〇万人程度と推定されています。だいたい兵庫県の人口程度ですね。紀元一年ごろで、やっと一億三〇〇〇万人です。一九世紀のはじめで九億人、二〇世紀のはじめで一六億人です。二〇世紀の終わりが五〇億人あまりだから、この世紀に生まれた人が、どの世紀に生まれた人よりも圧倒的に多いんです。歴史上存在した人間の総数はおそらく八〇〇億人程度と考えられますが、一〇〇〇億人としても一〇〇ギガですから、全部かぞえ上げるのが可能な数です。人間の歴史なんてその程度のものなんです。

(4) 地球が寒冷化する氷期と、温暖な間氷期とが周期的にくりかえされる時代。最後の氷河時代には、五五万年前、四〇万年前、二〇万年前、五万年前を最盛期とする四つの氷期がある。

(5) 考古学的な時代区分で、石器を研ぎ、穴を開け、より精緻で完成された石器を使う時代。土器や織物の使用をともない、その生活は農耕・牧畜が主となる。大集落や墓地を営む。一万年ほど前にはじまる。

それに対して、この地球上に微生物はどれくらいいるかというと、最近アメリカのジョージア大学のウィリアム・ホイットマンという先生が、地中、海中、大気中など、世界各地のあらゆる領域の測定結果を綜合してバクテリアの全数を推定したところ、10^{30}になったといいます。人間の総人口の一兆倍のさらに一〇億倍というわけです。バクテリアは時間単位で分裂して増殖していきますし、その歴史は人間の歴史などくらべものにならないほど古く、一〇億年単位と考えられますから、人間では概算できた歴史上存在したすべての個体数の累計など、とても勘定できません。人間の生物界における位置などというのは、その程度のものなんです。

テイヤール・ド・シャルダンのいう、養うべき感覚のうちの残り三つがどういうものか、ここにかかげておきます。

「五、質の感覚、もしくは新しいものに対する感覚。世界の物質的な統一性をこわすことなく、自然のなかで完成したものと成長するものとの絶対的な諸段階を識別するにいたる感覚。

六、運動に対する感覚。きわめて緩慢な動きのうちにかくされている抑えがたい発展を知覚し、また休息というヴェールの下につつみかくされている激しい動揺を知覚し、さらにまた同じ事物の単調な繰りかえしの中心に、まったく新しいものがすべりこんでくるのを知覚することができる感覚。
七、相互の関連に対する感覚。継続するものとか、集団をなしているものとかいわれる皮層的な並置のもとに、物質的な関連と構造の統一性を発見する感覚」
テイヤール・ド・シャルダンは、このような七つの感覚を獲得することによってはじめて、人間は自然界における人間の存在意義をつかめるようになってきたのだといいます。つまり、「見る力」というのは、このような七つの感覚をみがき上げ、その綜合として獲得されるものなんです。そしてその獲得は、個人のみならず、人類が共同作業として長い時間をかけて行ってきたものです。「この感覚を漸次獲得してきたことが、人間の精神の種々様々な戦いの歴史そのもの」なのだというわけです。

テイヤール・ド・シャルダンは、基本的に科学者です。聖職者で、キリスト教の信仰を強く死ぬまで持ちつづけた人ですから、その思想は強い宗教性を帯びているとはいえ、あくまで科学者としてありつづけた人です。この七つの感覚をみがけという忠告は、その長い科学者としての生活の中でつかんだもので、これは実に含蓄ある内容を含んでいると思います。すべての科学的発見というか知的発見は、このような感覚を通してつかまれるものなんです。それが彼がさかんに強調する「見る」ということなんです。こういう感覚を身につけることが彼のいう「眼の形成」になるわけです。こういう感覚が身についていないと、つまり本当の「眼」が形成されていないと、何を見ても眼はその表層を上すべりするだけで、より深いもの、より本質的なものが何も見えてこないというわけです。

「われわれの見方のうちに以上のような特質を欠いていたなら、どんなに説明しても、人間は、多くの人が今なお考えているように、いつまでも、混沌の宇宙のなかをただようものにすぎないだろう」というわけです。眼が形成されないと人類はいままでも混沌の中にあったろうというわけです。

視点の歪みと偏り

テイヤール・ド・シャルダンは、もう一つ真に「見る」ために重要なことを指摘しています。それは、視点の問題です。人間は世界を見るときにどうしても物理的に自分を中心に置いた視覚像から出発せざるをえないわけです。自分が移動するときには、自分とともに視覚中心も動いていくわけです。それはいつも局所的な視覚像であり、客観世界の全体像は、その片すみに置かれた視覚中心から眺められた、歪んだ視覚像としてしか持てません。

そのような視覚中心の置き方から来る歪みと偏りの問題は、物理的視覚像だけの問題ではなく、もっと広い意味で見ること、つまり世界解釈としての「見る」ことについてもいえる問題です。つまり、「最も客観的と思っていた観察にも、当初に選ばれた仮説とか、探求の歴史的発展のあいだに展開してきた思想の形式とか習慣とかがしみこんで」しまうということです。つまり、純粋に客観的観察というのはありえないのであって、観察という行為は主観から切り離せないということです。

観察ですらそうなのですから、観察の解釈となったらますます主観から切り離せません。ある対象を観察しそれを分析して、これぞその対象の構造という結論に達したとき、それが対象の本体が客観的に持っている構造なのか、それとも、自分の思考の反映として見えてきた構造なのかよくわからないということがありうるのです。つまり、「主体と対象とは認識行為において互いに結ばれ、質的に変化しあうものである。だから否でも応でも人間は自分の見るすべてのもののなかに自己を再発見し、自分を見つめるのである」というわけです。

人間の認識の特性

ここでテイヤール・ド・シャルダンが述べている、認識における主観と客観のからみあいの問題は非常に重要でして、認識論上の問題としてかねて哲学が取りあげてきた問題ですが、最近ではこのような問題は、認知科学[6]の立場からさまざまな分析が加えられ、その結果ますます主観の果たす役割の大きさが明らかにされつつあります。

認知科学というのは、実は厳密な定義がはっきりしない境界領域的な学問でして、心理学、哲学、人工知能、情報処理、神経科学などがそれぞれに展開している人間の知覚や認識にかかわる学問を綜合して、人間の認識というものがどのように成立するのかそのメカニズムを解明するとともに、それがどのような特性を持つのかを明らかにしようとするものです。やっていることはとても幅が広くて、簡単に紹介できないのですが、視覚認識の問題は、その中心的課題の一つになっています。

たとえば、三次元立体視の問題があります。人間はなぜ三次元立体視ができるのか。みんな普通にものを見れば、それがそのまま三次元立体視だから、それが何か特別のことのように思わないのですが、これはやっぱり特別のことなんです。ある程度はそのメカニズムがわかってきたけれど、まだ完全にわかったわけじゃありません。よく、人間は両眼でものを見るから、両眼の視差によって三角測量の原理で立体視ができるんだと解説されています。それはある程度は正しいんですが、じゃあ片眼を失明した人は世界が平面にしか見えないのかといったら、そんなことはないわけです。たとえば、いま片眼をつぶってみてください。たしかに立体視の性能は落ちたかもしれないけれど、とたんに世界が平面になってしまったというわけじゃないでしょう。立体的なものはやはり立体的に見える。立体視には、両眼視差だけでなく、陰影、光沢、テクスチャー、対象物の動きによる見えの変化、自分の眼球運動、首ふりや体の移動による見えの変化、知識による補正などなどいろいろな要素情報が全部綜合されて利用されてるんです。

考えてみると、人間が受け取る視覚情報は、全部網膜にならんだ視細胞に入る光信

(6) 脳と心のはたらきを情報科学の方法論によって明らかにし、それを通して生物、特に人間の理解を深めようとする学問。そのため、認知科学の対象は、心理学、言語学、情報科学、計算機科学、神経科学、さらには教育学、文化人類学などと重なる。

号に端を発しているわけです。入力信号は、結局、眼に入る光の強弱信号だけです。それを網膜の上にならんだ二億五〇〇〇万個の視細胞が電気信号に変換して、脳がその信号を受けて情報処理をする。基本はそれだけです。網膜というのは基本的には二次元平面（多少曲率がついていますが）にならんだ視細胞のマトリクス[7]です。網膜に映じた二次元の映像がなぜ三次元立体視を可能にするのか。これはよく考えてみると、実に不思議なことなんです。しかし、あまりにも当たり前だったために、誰もその不思議さを重大視していなかったんです。

　この不思議さが本格的な研究の対象になるのは、実は一九六〇年代にＭＩＴ（マサチューセッツ工科大学）でロボットの研究がはじまってからなんです。ロボットに視覚認識をさせたいのに、いくらやってもできない。網膜と同じように光刺激を受けて電気信号に変換する受光素子を作るところまではうまくいったが、それからどうしていいかわからない。外界の映像をレンズで受光素子の上に写すことはできるが、その像が何の映像であるかを認識することができない。そもそも認識の最初のステップである形の把握ができない。我々はものを見れば、すぐに形の把握ができますが、これがロボットには簡単ではない。我々がなぜ形の把握が簡単にできるかといったら、それはものを見るとき、輪郭をつけて見ているからなんです。

（その辺のノート、鉛筆、チョーク、黒板消しなどを片端から示して）何を見ても、我々はすぐにその輪郭がわかりますよね。輪郭がわかるということは、その物体のエッジがわかるということなんです。どんなものでも、そのエッジがすぐわかるでしょう。あんまり当たり前のことをいってるので、なにバカげたことをいっているんだと思うかもしれないけれど、これは実は不思議なことなんです。なぜかというと、ものそれ自体にははじめからエッジがついているわけじゃないんです。いま君たちは自分の目の前にあるものを見て、「いや現にどんなものにでもエッジがあるじゃないか」といいたいでしょう。だけどそれは、最初からそのものにくっついてあるわけじゃないんです。実は脳がつけてるんです。脳がエッジをつけて見てるんです。脳と網膜の共同作業といってもいいかもしれない。網膜というのは、前にもいったけれど、単に受光素子をマトリクス状にならべた平板なものではなくて、そこで初歩的な情報処理をやっている脳の一部のようなものなんです。

（7）複数の物（ここでは視細胞）が格子状に並んでいる状態。

具体的に何をやっているかといったら、基本は光の強弱にコントラストをつけるという作業です。強めるべきは一段と強め、弱めるべきは一段と弱めることで、その差を強調するわけです。それがエッジを作るんです。もののエッジの部分というのは、必ずエッジのこちら側と向こう側で、明るさに差があるでしょう。その差がエッジを作っているんです。その差は、現実にある差ではなくて、脳と網膜が現実を誇張して作った差なんです。なぜそういうことがわかったかというと、はじめのころ、ロボットの眼の網膜の部分にただ受光素子をずらっとならべて、コントラストづけなど一切やらずに、ありのままの光の強弱を受けるようにしていたら、ぜんぜんものの輪郭が浮かび上がってこなかったからなんです。人間の眼も、もし網膜がありのままの光の強弱を受けるようにできていたら、ものの輪郭がわからないはずなんです。

しかし視細胞には、側抑制(8)と呼ばれる独特の作用があって、ある細胞に光があたると、周辺の細胞の光に対する感度が低くなるんです。その結果、光があたった細胞と、そうでない細胞の間で電気信号出力に大きな差がつきます。つまりコントラストがつくんです。光があたったところは一層明るく、光があたらなかったところは一層暗くなるというわけです。それがエッジを作っていくんです。

美術の時間に石膏像のデッサンをやらされた人は知っていると思うけど、先生が下手な生徒のところに来て、チョコチョコと手を入れると、たちまち形がよくなる。画面が生き生きしてくる。そのとき何をしたのかといったら、たいていただ陰影に強弱をつけただけなんですよね。輪郭線を引くなんていうことは決してしない。輪郭というのは、光の明暗だけで出るし、出せるものなんです。

エッジとならんで、形の認識で重要なのは面です。面の認識でも、脳＝網膜系は独特の加工をしています。それは、面はできるだけ同じように塗りつぶすということなんです。これもいろんな心理的実験や電子工学的実験によってハッキリわかってきました。コントラストの強調によるエッジの検出と、面の塗りつぶし、これが形の認識のいちばん基礎にあって、次に線と面から対象物の特徴を抽出していく。特徴抽出から対象物が何であるかを認識していく。そういう過程を踏むことで、ロボットは徐々

（8）一つの個眼を光刺激すると、刺激された個眼の視神経繊維にインパルスが発生すると同時に、隣接する個眼の視神経繊維には興奮が起こりにくいように抑制がかかる現象をいう。側抑制は明暗の境界線での対比を強調するなどの働きをする。

に視覚認識ができるようになり、それとともに、人間の視覚のメカニズムもわかってきたわけです。

人間は脳で見ている

結局、人間の視覚というのは、カメラが外界の映像をフィルムの上にそのまま光エネルギーで焼きつけるのに似た単純な物理化学的操作をしているのではなく、実は相当複雑な情報処理（計算）をしているのだということがわかってきて、視覚の計算理論という考えが生まれるわけです。その先駆者となったのが、デビッド・マー[9]という人で、一九八〇年にわずか三五歳で亡くなってしまったんですが、この人は脳科学と計算機科学に大変大きな貢献をしました。この人は脳がやっていることは基本的にコンピュータがやっているのと同じ情報処理で、それは一種の計算なのだから、脳機能は計算理論として解明できると主張して、脳科学に新しい領域を切り開いた人です。

マーは、三次元立体視の問題にも取り組み、その中で、$2\frac{1}{2}$（二と二分の一）次元スケッチという独特の理論を展開しました。$2\frac{1}{2}$次元スケッチとは何かというと、人間は視覚情報からただちに三次元像が構成できるわけではなく、その前段階というか、中間的情報処理段階として、$2\frac{1}{2}$次元スケッチを作る段階があるというわけです。それは二次元像よりは上だが、三次元像にはまだなっていないという段階です。網膜から得られた生の視覚情報に、先のエッジづけなど初歩的な情報処理を行ったものとして、まず、原始スケッチ像が得られます。次にこれに、脳の視覚野を構成している情報分析モジュールから得られたさまざまな情報をつけ加えていって、それを観察者中心の座標系の上に組み上げたものが、$2\frac{1}{2}$次元スケッチです。それに対して、三次元スケッチはその上にさらに別の情報源から得られた情報を付け加え、それを対象物中心の座標系の上に組み上げたものです。$2\frac{1}{2}$次元スケッチと三次元スケッチのちがいはいろいろあるんですが、最大のちがいは、自己中心の主観的世界像か、対象物中心の客観的世界像かというところにあります。

三次元立体視ができるということと、客観的世界像把握ができるということはほとんど等値ですよね。そして、客観的世界像か主観的世界像かは、結局のところ座標軸

（9）David Marr（一九四五〜八〇）　イギリスの数学者。六九年、脳細胞がコンピュータの回路と同じ働きをするという仮説を発表し、脳と視覚の研究に大きく貢献した。

の問題になってくるわけです。主観的世界像は、すべてを自分の視点との距離と角度に帰着させる極座標の上に築かれます。

客観的世界像は、自分の外側に便宜的に設定した座標系の上に築かれます。一般によく使われる、XYZ三軸の直交座標系はみんなおなじみでしょう。客観座標系は別にあれに限られません。そのとき扱うデータの性質と、世界像把握の目的に応じてどのような座標系を設定したっていいんです。その座標系の中で再構成された世界が内部的に無矛盾であり、データとの間に撞着をきたさなければ、あとは、その座標系を使う有用性の問題です。要するに世界像というのは、座標系と不可分の関係にあるということです。異なる座標系の間では、一連の座標変換規則に従うことで、変換ができます。世界像は数学的にオペレーショナル（操作可能）なんです。こんないい方をするとむずかしく聞こえるかもしれないけれど、それは脳が日常不断にやってることなんです。三次元立体視というのも、それによって可能になってるんです。

普通は脳が全自動過程として計算＝座標転換をやってしまうから、脳が何か計算をやってくれているというのがわかりません。しかし、それがわかるときもありま す。（ステレオ・ドットグラムの実例を幾つか示して）こういうステレオ・ドットグラムというのを見たことがあるでしょう（図3）。これを左右の眼で左右の像をそれぞれに見ていると、やがて左右の像が融合して、立体像が浮かび上がってきます。こういうものを見た経験がない人？　あるいは見たことはあるけど、いくらやっても立体像が浮かんでこなかったという人いますか？（若干の手があがる。）これはね、本来誰でもできるんです。やさしいことなんです。失敗する人は、何かむずかしく考えすぎた人ですね。コツがあるはずだと思って、誰かにこういうコツがあるなんて聞いたりすると、それに頭が集中して、どうして自分はコツがつかめないんだとあせりまくって、見えるはずのものが見えなくなってしまう。

図3　ステレオ・ドットグラム

　あのね、特段のコツはないんです。ただ、見えるようになるまでちょっと時間がかかるものなんです。その間あせらずに待つことです。待っていれば必ず見えてくるはずだと信じて待つことです。その時間というのは何なのかというと、脳の計算時間なんです。脳が新しい視覚データを得て、それに適当な変換規則（アルゴリズム）をあてはめて、何か意味ある画像が形成できるかどうか、いろんな試行錯誤をしてみる。それに必要な時間なんです。それは、脳が勝手に全自動で可能なアルゴリズムを総スキャン（走査）しながらやってくれますから、脳の働きを信頼して待つことです。なまじ脳にコツを教えこもうとしたりすると、脳の全自動作業を混乱させるだけですから、やめたほうがいいんです。

計算が終わったとたん、一瞬にしてフッと立体像が浮かび上がってくる。なぜこれがいままで見えなかったんだろうと不思議なほど、ハッキリ見えてくる。眼に入ってくる光情報は、その前も後も全く変わりないんですから、この見えの変化こそ、人間は脳で見ているということの証明です。眼の計算次第で、同じデータからちがうイメージを作ることができるということです。

$2\frac{1}{2}$ 人間になってはいけない

同じような見えの変化が、世界解釈としての「見る」行為においてもあるものです。書物や人の話から何かものの見方を根本的に変えさせるような強い影響を受けて、同じ世界がそれまでとは全くちがった風に見えてくるということがあるでしょう。これまでも何度かあったはずだし、これからも、学ぶことをやめないかぎり、何度かあるはずです。大事なのは何を見るかではなく、どう見るかなんです。本当に新しいものを見るために何より必要なのは、見る対象を変えるためにキョロキョロすることではなく、アルゴリズムを変えてみることなんです。そのことを知るためにも、ステレオ・ドットグラムで劇的な見えの変化を体験することは大切です。やったことがない人は、単なる遊びと思わず、ぜひチャレンジしてみてください。

一度立体像が見えてしまうと、同じパターーンのドットグラムなら、他のものを見ても、またすぐ立体像が見えてきます。これは脳の学習効果です。前と同じアルゴリズムをそのまま使えばよいから、最適アルゴリズムを求めるためのスキャニングの時間が一挙に短縮されるわけです。数学の受験勉強である問題を解くのに四苦八苦したあとは、同じパターーンの問題がすぐ解けるのと同じことです。

ステレオ・ドットグラムというのは、最初に片側にランダムにドットをならべる。次に反対側に視差の分だけズラしたコピーを置く。ただし全く同じにしないで、表現したい図形を切り抜きのような形でその上に重ねておく。それだけのことなんです。だからこの立体感は、両眼視差だけをもとにして生まれている。逆にいうと、両眼視差が生む立体感というのはあの程度のものにすぎないということです。

本当の立体感は、もっと質的にちがうものでしょう。ということは、本当の立体感は両眼視差だけでなく、もっと複雑な要素をとり入れているということでもあります。

あのステレオ・ドットグラムの立体感は、図と地が切り離されて、図の部分が露骨にこちらに突き出してくる（あるいは向こう側にへこむ）ことによってもたらされます。あれは要するにイメージが極座標上に転換されて、視点と対象の間の距離が大幅短縮（あるいは延長）されることでもたらされます。つまり、あれは客観的物体がそこにある場合にもたらされる真の三次元像ではなくて、両眼視差というパラメータだけを操作して無理に極座標上の動きの上に作った$2\frac{1}{2}$次元スケッチ的な立体感なんです。３Ｄ映画で刀がこちらに突き出されたりするときの思わずのけぞったりする誇張された立体感も同じです。両眼視差だけをいじって無理に作り上げた立体感です。そのときは思わず悲鳴をあげそうになるけど、あとになって冷静に考えてみると、どうもリアリティが欠如していたような気がする。それもそのはず、実際のリアルな三次元像というのは、ああいうように無理に一つのパラメータだけをいじった極座標上の誇張された変化の上に作り出せるものではありません。本当の客観世界では、対象オブジェクトが、それをとりまく三次元世界の中に無理なく自然な存在感を持ってそこにあるという感じになってるでしょう。つまり、そのような立体感は、自分中心の極座標の上にではなく、自分を離れた客観世界の存在を保証している別の座標系の上に表現されたものでなければならないということです。それが本当の三次元スケッチです。本当の世界認識はそのようなスケッチの上に築かれなければならないのであって、$2\frac{1}{2}$次元スケッチだけでは、歪んだ世界認識しか成立しないということです。

　同じことが、視覚認識についてだけでなく、より高次の世界認識についてもいえます。どういうカテゴリーの世界認識においても、主観的認識と客観的認識の問題が出てきます。自己中心の極座標的認識、$2\frac{1}{2}$次元スケッチ的認識しかできない人と、自分の存在や自分の認識すら、客観視できる人、別の座標系の中に置いて考えられる人とがいます。子供はみんな自己中心でしかものが見えないものです。どうしようもない自分中心主義の人っているでしょう。そういう人は頭の中が$2\frac{1}{2}$次元スケッチで埋まっている人なんです。そういう人たちは、他者の眼でこの世界を見たらどう見えるかということが全く想像つかないわけだから、勢いその行動は自分中心主義になります。

「まとまりをつける」脳の性質

ここまでのところは、見る能力の不足の話ですが、その反対に、見る能力の過剰の問題もあります。つまり、見えないものを見てしまう。見えるはずがないものまで見てしまうという現象です。幻視とか妄視、錯視のたぐいですね。これには生理的な要因によるものと、心理的な要因によるもの、神経学的な要因によるものなどがあります。いわゆる錯視現象もあれば、「幽霊の正体みたり枯尾花」のような現象もあるし、病院に行ったほうがいいとしかいいようがない現象もあります。後者の場合、非常にしばしばあることですが、本人は、自分が人に見えないものを見ているということが異常だとはぜんぜん思っていなくて、それが見えない他人のほうが異常だと思いこんでいるんです。こういう人は病院に連れていっても、医者が異常だと思ってしまうから、行くだけムダということになります。本人は他人に見えないものを見る能力が、自分の人並すぐれた能力のあかしだと思ってしまっているわけです。自分はスーパー正常で、狂っているのは一般社会だと思いこんでいる。

これが物理的視覚像の話なら、誰が異常で誰が正常かはあまり問題がないところですが、物事をどう解釈するかという解釈の問題がかかわってくると、ことは簡単ではありません。（幾つかの錯視図を示して）錯視にはいろんなパターンがあり、多くのパターンについてなぜそういう錯視が起こるのかという生理的あるいは心理的なメカニズムの説明がついています。錯視のパターンの一つに、見えないものを見るというパターンがあります。（三角形と三つの丸が組合せになった図を示して）典型的なのはこれですね（図4）。これは本当は三角形でなくて、頂点の部分に三つの松葉形があるだけなんですが、確かに三角形に見える。この切れた部分を頭の中で補って見ているからですね。こっちの三角、これは実は直接的には何も描かれていないのに、確かにそこに存在しているように見えるでしょう。これは網膜など、視覚系のメカニズムの問題ではなく

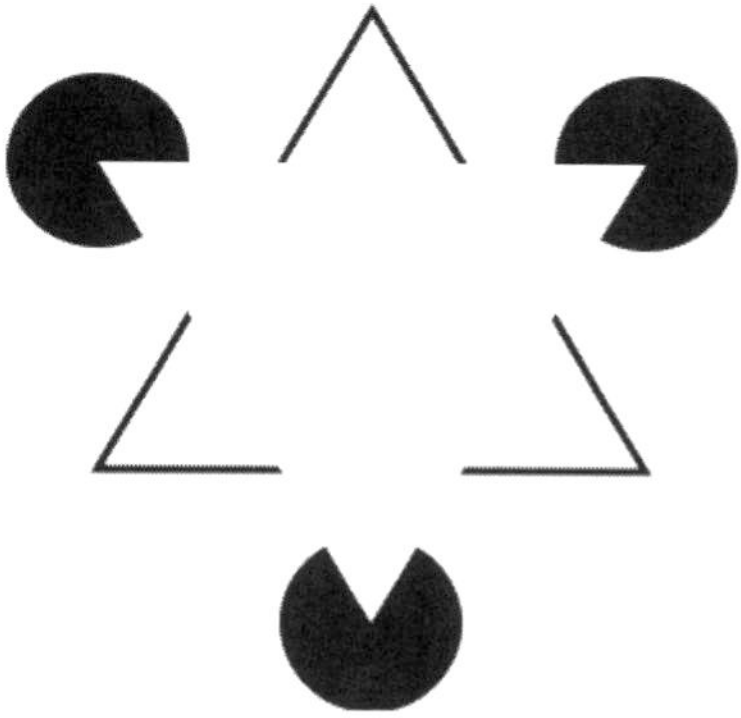

図4　錯視図

て、脳の問題です。人間の脳は、断片的な情報に抜け落ちていると思われる部分を補って全体性を回復して見てしまう性質があるんです。インターポレーションといわれる脳の補完作用が、人間の日常的な認識のいたるところで働いています。

たとえば、映画やテレビで動く映像を見るのだってそうですよね。実際に見ているのは、映画は秒二四コマ、テレビは秒三〇コマの静止画像です。それが動いて見えるのは、静止画と静止画の間の切れた部分を脳が補完して見ているからです。この切断された三角がつながった三角に見えるのと同じ原理です。

ドラマの場合だと、実際に画面に描写されるのは、カット、カットでバラバラのシーンだけど、頭の中でそれが一つのストーリーにちゃんと組み上げられる。カットとカットの間は頭の中でストーリーに合うように適当に補って自分で納得している。

実はサイエンスだってそうですよね。実際の実験事実、観察事実は断片にすぎないけど、それをつなげる一つの説明をつけると、立派な理論になる。

断片的な情報から全体性を回復してしまう人間の自発的な能力について研究したのが、ゲシュタルト心理学[10]です。断片から全体を作り上げるとき、人間の脳は幾つかの特有のルールに従います。一言でいえば、まとまりをつけるようにするんです。それも、美的で、かつ合理性を持ったまとまりがつくようにする。その他、バラバラのものはグループ化するとか、グループ化したときあまりが出ないようにする、曲線はなめらかになるようにする、線分は閉空間を作るようにまとめるなどなど、いろんな法則が見出されています。

そういう法則が、自然それ自体の反映なのか、それとも人間の脳の神経学的な理由からそうなっているのかわかりませんけど、人間の認識の基本的な傾きとして、そういうものがあるんです。そして、人間の脳が自動的にやってしまう補完は、そういう法則にのっとって行われてしまうことになります。見えないものを補うことで、図形なら合理的でまとまりのある図形に、ストーリーなら合理的でまとまりのあるストーリーにしてしまうということですね。

しかし、何をもってより合理的とするか、よりまとまりがついているとするか、あ

(10) ゲシュタルトとはドイツ語で「かたち・形態」のことで、人間は知覚したものを図形やメロディーといった、一つのまとまった形態として把握すると見る心理学の一派。二〇世紀初頭にベルリン学派によって研究された。

るいはより美的であるとするかは、かなり文化的な問題で、その人がどういう文化圏で育ったかによって同じ断片を見てもちがうものを見てしまうことがあります。

こういうことをいま述べているのは、テイヤール・ド・シャルダンの進化論を語るためには、そういうことを知っておく必要があるからです。テイヤール・ド・シャルダンの進化論は、非カトリック的ではあるけれども、相当に宗教的な色彩を帯びたものですから、日本人には理解しがたい部分もある一方、そういう思想が欧米では世に広く受けとめられたという事実から、むしろ西欧社会の文化的特質がよく見えてくるという側面もあるんです。

第五章　人類進化の歴史

異端と正統の戦い

カトリック教会には、回勅という独特の情報伝達手段が昔からあります。ローマ法王が、そのときどきの重要問題に対する法王庁の見解を書簡という形にして、世界中の司教に送るのです。昔は法王庁から使者が出て、その書簡を持ちまわって回し読みしたので、回勅といわれるわけです。回勅はいろんな問題について出されます。

カトリックの教義の体系としては、一三世紀に作られたトマス・アクィナス[1]の『神学大全』という、日本語版だと二五巻にもなる大部な決定版教義集があるのですが、それを見ればどんな教義上の問題にも解答が与えられているわけではありません。どんな宗教でもそうですが、時代を経るにしたがって、新しい問題が次々と起こり、それに対する信仰上の対応が迫られます。カトリックでは、世界一〇億人の信者と日々接していろんな問題を持ちこまれている末端の司祭からこの問題はどう考えたらいいんだという問い合わせが来るので、法王庁では、問い合わせが多い、答えるのがむずかしい問題について、ときどき統一見解を出す必要性に迫られるのです。

統一見解はさまざまな形で出されます。回勅以外に教書、教令など法王庁の公式文書の形をとったり、重要な場での演説という形をとったりします。回勅以外の書簡という形もしばしば用いられます。新約聖書を読んだことがある人は知っているように、新約聖書の半分以上は、書簡という形をとっていますね。主として、初期キリスト教のオルガナイザーであった伝道者パウロ[2]の書簡ですが、その他、ペテロ[3]、ヨハネ[4]などイエスの直接の弟子であった使徒たちの書簡もある。これらの書簡は、原始キリスト教時代の各地の教会に送られ、そこで朗読され、信徒たちはその書簡を通じてキリスト教の教えを学んだのです。当時キリスト教はできたばかりで、しっかりした教義体系があったわけではありませんから、信徒たちはさまざまな疑問をパウロなど指

（1）Thomas Aquinas（一二二五?～七四） イタリアの哲学者、聖人。信仰（啓示）と理性の統一を目指す「トマス的総合」で知られる。主著は、学としての神学を確立した『神学大全』。

（2）Paul（生没年不詳） 初代のキリスト教の伝道者。ギリシア語ではパウロス Paulos。

（3）Peter（?～六四） イエス Jesus Christ（前四?～後三〇?）の弟子たちの中で筆頭とされる人物。ガリラヤの漁師の出身で、パウロとともにローマで殉教したと伝えられる。カトリック教会ではイエスの後継者、初代のローマ司教（教皇）とされる。

（4）John（前一世紀～後一世紀） 十二使徒の一人。ペテロ、兄ヤコブとともにイエスの愛弟子。

導者にぶつけ、それに対する回答が書簡の形で送られたわけです。そういう疑問は他の教会でもよく出る疑問だったから、いい書簡は教会で回し読みされるようになり、それがやがて、バイブルという形に編纂されていったわけです。書簡や回勅というのは、その伝統を受けついでいるわけです。そして、歴代の法王のいい書簡や回勅はこういう資料集という形になっていて(『カトリック教会文書資料集』エンデルレ書店を示して)、さまざまな信仰上、道徳上の問題に関してバイブルに準ずる扱いを受けています。

これは実に興味深い資料集です。各地の原始キリスト教会で用いられていた信経、初期教父の説教などにはじまり、あらゆる公会議、教会会議の決定とか、歴代法王の重要問題に関して出された回勅、書簡などがみなのっています。(目次を示して) 昔のものは、純粋に神学的な問題についてのものが多いんですが、新しいものには(といっても一九世紀あたりからですが)、個人的な生活上の、あるいは社会生活上の道徳問題がテーマになっていて、ここに見るように「夫婦の避妊行為」「頭蓋骨切除手術」「既婚者の自慰行為」「夫婦の性交中絶」「死体の火葬」「不妊手術」「共産主義者に投票することについて」といったことまで問題になっています。法王庁の決定というのは、特に道徳や倫理にかかわる問題については、日本人が想像する以上に強い影響力がありますから、こういうものに目を通して知っておく必要があります。

大きな問題になると、法王庁単独ではなかなか統一見解を出すのがむずかしいので、世界的な教会会議とか公会議を開いて決めます。大きな信仰上の問題になると、教会の内部にも異なる見解が複数あって、激しく対立している場合があるんです。そういう場合は、会議で激論を交した上で統一見解をまとめていきます。そしてその見解に反するものは異端として、教会から排除されます。

最初の公会議は、三二五年に、コンスタンティヌス大帝[5]がニケーアに三一八人の教父を集めて開いたもので、ニケーア公会議[6]と呼ばれます。ここでまとめられたキリス

(5) Constantinus I (二八〇〜三三七) ローマ皇帝。ディオクレティアヌス Gaius Aurelius Valerius Diocletianus (?〜三一一?) 退位後の混乱を収拾し、ビザンティン帝国の基礎を固めた。信教の自由を認め、皇帝としてはじめてキリスト教徒となり、ニケーア公会議を開いて信条統一を導いた。

(6) 三二五年、小アジアのニケーアで初めて開かれたキリスト教会の総会議。コンスタンティヌス大帝によって召集され、アリウス論争を論議し、ニケーア信条によって、父なる神と子なるキリストの同質を確認し、類似本質を主張するアリウスを追放した。

ト教の信仰内容がニケーア信条と呼ばれ、「われは信ず、全能の父、すべての見えるものと見えないものの創造主である父を……」ではじまる一連の信仰内容箇条書きで、いわゆる三位一体の教義がまとめられたものです。三位一体というのは、父なる神、子なる神（イエス・キリスト）、聖霊の三つが、実体としては一つだが、あらわれ方（位格、ペルソナといいますが、波における位相のちがいみたいなものと考えるとわかりやすい）によってちがって見えるという教義で、キリスト教の教義の中枢的な教えなんですが、この当時は、三位一体を否定するアリウス派[7]という教派があり、これが異端とされます。アリウス派は、キリストが生まれる前はキリストは存在しなかったではないか、父なる神がそのときキリストを無から創造したのだから、両者を同格視するのはおかしい、父なる神は創造者である永遠なる神だが、子は被造物だというわけです。どちらかというと、こっちのほうが論理的とする考え方もあります。実際アリウス派は異端とされてからも、中近東など東方教会の教義となって生きのびます。現代でもキリスト教にはいろんな教派があるんですが、その中には三位一体論はおかしいといって、アリウス派的教義を持つものもあります。

キリスト教の歴史は異端の歴史みたいなもので、いろんな異端が次々にあらわれては排除されていきます。

本当はこういう言い方は正しくないのであって、異端というのは、正統派が異端ときめつけたときに異端となるわけで、異端の歴史とは、異端きめつけの歴史といってもいいわけです。それは裏からいえば、正統派信仰の確立の歴史といってもいいわけで、正統派というのは、異端との戦いの中で自己を確立していったわけです。

異端と正統との戦いは、宗教だけでなく、政治の世界でも、科学の世界でもあります。ぼくらが学生だったころは、マルクス主義における正統と異端の戦いがとりわけ激しいものでした。一般的には共産党の奉ずるマルクス主義が正統とされ、それに異説をとなえる革命思想が異端とされ、やがて党から除名されるという形で外に排除されていきました。あのプロセスは、キリスト教の歴史における異端と正統の戦いと実によく似ているんです。

(7) アレクサンドリアの聖職者アリウス Arius（二五〇?〜三三六?）は、父なる神と子なるキリストが同質ではありえず、異質的（ヘテロウシオス）であると説いた。三二五年、ニケーア公会議が開催され、父なる神と子なるキリストの関係は同質的（ホモウシオス）と定められ、アリウスの教えは公式に弾劾された。

異端と正統の戦いは、しばしば血で血を洗う戦いとなります。キリスト教の歴史の中には、血なまぐさい異端虐殺の歴史がたくさんあります。正統から見れば、異端は悪魔の教えだし、異端から見れば、正統派全体が悪魔に乗っ取られてしまった状態です。悪魔は殺すことが正しいのだから、平気で殺し合いをやるんです。革命党派の間でも、イデオロギーのちがいから来る殺し合いをよくやるでしょう。日本でもヨーロッパでも。そのときよく使われる理由が、裏切者、スパイ、警察のまわし者、破壊工作者、といったもので、そういうレッテルを相手に貼ってしまうと宗教的な争いにおける悪魔呼ばわりと同じで、相手を殺せるくらいの憎しみが自然とわいてくるし、相手を殺すことは正当だと思えてくるわけです。昭和初期のリンチ殺人事件も、戦後のリンチ殺人事件も構造は同じです。

異端とされた側は、自分が間違っていたと誤りを認めることで生き抜く場合もあるし、自分たちのほうが正しいとあくまで主張して、新しい教派党派を作って正統派に対抗していく場合もあります。政治の世界でもそうですよね。そうなると、支持者集めの競争になって、場合によっては、異端とされた側が多くなって、正統を引っくり返してしまったりします。宗教改革の中で、カトリック[8]の中からプロテスタント[9]諸派が生まれ、ドイツではルター派[10]が、スイスではカルヴァン派[11]が、イギリスでは国教会（聖公会）[12]が多数派になったのがそれです。共産主義運動の中でも、一時はソ連の共産党が世界の共産主義運動を支配するけれども、やがてその中から別路線を歩む、中国共産党、構造改革路線[13]のイタリア共産党、協同組合主義[14]をとるチトーのユーゴ共産党などさまざまな流れが生まれ、それぞれの国の共産主義運動を支配していくというこ

（8）キリスト教の一派で、ローマ法王を首長とするローマ・カトリックと、その管轄に属さないギリシア・カトリック（ギリシア正教）の総称。教義そのものは、原始キリスト教に由来する。

（9）新教徒。宗教改革により、カトリック教会から分離した近代キリスト教徒の総称。

（10）プロテスタント最大の教派。ルーテル教会ともいう。宗教改革者ルターの信仰に共鳴し同調した人々が組織した。一五二〇年代後半からドイツの各領邦をはじめ、北欧諸国で広まった。

（11）Jean Calvin（一五〇九〜六四）フランスの宗教改革者、神学者。ジュネーブの宗教改革に加わり、『キリスト教綱要』を公刊、体系的なプロテスタント神学を示し、改革派教会の支柱となった。後の西欧近代の市民社会のエートス形成に大きく寄与した。

（12）Anglican Church　一五三四年、英国王ヘンリー八世（一四九一〜一五四七）は離婚問題を契機に、自らを英教会における唯一の首長とすることによってローマ・カトリック教会から分離独立し、国教会を成立せしめた。

とも起きたわけです。
結局、異端と正統の問題は、神学的なイデオロギー闘争で結着がつくという問題ではなく、あるレベルからは、どちらがどれだけの支持者を集められるかという政治過程の問題になっていきます。要するに、勝てば官軍で、勝ったほうが正統性を獲得できるわけです。革命の過程とはすべてそれで、正統と異端がしばしば逆転するわけです。

明治維新のときに、維新政府の側が官軍となり、旧幕府の側が賊軍となるわけですが、あれは維新政府の側からの見方であって、幕府の側から見れば逆になります。鳥羽伏見の戦い[15]のあと、新政府側が討幕軍を関東に派遣し、錦の御旗をかついで、官軍を自称します。錦の御旗というものが昔からあって、それが権威があるものであることをみんな知っており、これを見たとたん、反朝廷側は、ああ自分たちは賊軍となってしまったと、ヘナヘナと力が脱けて、戦わずして敗けてしまったみたいなことが書かれた通俗歴史解説書がありますが、そんなことはありません。錦の御旗というのは、鳥羽伏見の戦いの直前に、岩倉具視[16]が急いで西陣織の業者に作らせたものですから、もともと官軍賊軍を決定的にわけるシンボルとして万人が認めていたものじゃないんです。だから、討幕軍が江戸にたどりついても、彰義隊[17]をはじめ抵抗する勢力はあったし、その後奥羽越列藩同盟[18]との間に、一年余にわたる戊辰戦争[19]が繰り広げられ、さらには、榎本武揚[20]らが箱館五稜郭にたてこもっての箱館戦争[21]とつづくわけで

(13) 資本主義社会内部に存在する民主主義的な諸制度、特に議会制度を活用し、社会主義への移行を実現しようとする戦略で、一九五〇年代後半から六〇年代にかけて、イタリア共産党を中心に唱えられ、その後ユーロコミュニズムとして発展した。

(14) 旧ユーゴスラビア共産党の指導者チトー（一八九二～一九八〇）は、一九五〇年企業の管理・運営を労働者の手に移し、大幅な権力をコミューンに委譲する「労働者自主管理制度」を敷いた。

(15) 戊辰戦争最初の戦い。一九六八年一月、王政復古ののち辞官納地を命じられた将軍徳川慶喜（一八三七～一九一三）率いる旧幕軍と、西郷隆盛や大久保利通らの薩長軍が鳥羽と伏見で戦闘、旧幕軍は敗退し、新政府内での討幕派の主導権が確立した。

(16) いわくら　ともみ（一八二五～八三）明治維新期における公家出身の政治家。王政復古で参与となり、以後、新政府において、議定、副総裁、権大納言、大納言、右大臣を務めるなど、中枢に位置した。七一年には、特命全権大使として木戸孝允、大久保利通、伊藤博文らとともに米欧に出かけて一二ヵ国を回覧、アメリカではグラント大統領に謁し、ドイツではビスマルクやモルトケと会見している。

(17) 戊辰戦争で江戸で抗戦した佐幕派の部隊。上野寛永寺に立てこもったが、一八六八年五月一五日総攻撃を受けて壊滅。

す。この間は、内乱の時代で、権力の正統性をめぐる闘いを武力で結着させようとしていたわけです。ということは、どちらが正統でどちらが異端かは、武力結着の勝負がつくまでは流動的な状態にあり、旧幕側は、おれたちはどうせ賊軍と自暴自棄的な気持ちで戦っていたわけじゃないんです。討幕軍が江戸に向かって進発するのは二月一五日で、江戸城無血開城合意は三月一四日ですから、一ヵ月かかっている。その間、江戸城内では、毎日毎日ガンガン議論をつづけている。戦うべきか、戦わざるべきかです。資料を読むとすぐわかることですが、その議論の中で、討幕軍のことを何といっているかというと、「賊軍」といってるんです。旧幕側の人にとっては新政府側が「賊」なんです。自分たちが賊であるなどという意識はないんです。

正統と異端の戦いが熾烈になってくると、このようにどちらが正統でどちらが異端かわからなくなってくる、正統性の流動状態、権力の流動状態の時期があるものです。

正統と異端の戦いは、サイエンスの世界でもよくあります。オーソドックスな定説に対して、新しい説が戦いを挑み、いつのまにか新説が定説になり、旧説は誰も顧みなくなるということが、サイエンスの世界でも結構あることは科学史を読むとすぐわかります。

小さな証拠から大きなストーリーを組み立てる

イデオロギーの世界では、議論に含まれる論理性とか、それを信奉する人の数とか、現実的有効性などによって、主張と主張の間の結着がつけられますが、サイエンスの世界では、基本的には実験事実と観察・観測事実を誤りのないロジックで組み立てていく「証明」によって結着がつけられます。そうはいっても、サイエンスの中に

---

(18) 戊辰戦争に際し、東北・北陸諸藩が一八六八年五月に結んだ反新政府同盟。新政府軍との戦闘では苦戦を重ね、九月、同盟は崩壊した。

(19) 一八六八年一月の鳥羽・伏見の戦いに始まり、翌年五月、五稜郭の戦い（箱館戦争）で榎本武揚軍が敗北して終結した、旧幕軍、佐幕派諸藩軍と朝廷側の倒幕軍、新政府軍との内戦。

(20) えのもと　たけあき（一八三六〜一九〇八）　旧幕臣、明治の政治家。戊辰戦争当時海軍副総裁で、江戸開城後も倒幕軍への軍艦引渡しを拒否、幕府艦隊を率いて北海道に上陸、新政府軍と戦ったが、降伏。のち、海軍卿、外相、農商務相などを歴任。

(21) 明治維新時、北海道における旧幕軍と新政府軍の戊辰戦争最後の戦い。五稜郭の戦いともいう。一八六九年春、旧幕軍の榎本総裁、永井尚志らが相次いで降伏し、戦闘は終了した。

は、フィールドによって実験がむずかしい、あるいは、観察、観測がむずかしい世界がたくさんあります。ブラックホールのように、そもそも理論的に観測することが不可能なんていうものもあります。

そういうフィールドでは、いきおい、ほんの少し発見されている証拠からどういうことがいえるかの、推論能力の勝負になります。まずこういうことがいえるはずというシナリオ作りから出発して、次にその数量モデルを作ってコンピュータ・シミュレーションしてみたり、あるいは、そのシナリオのパラメータをいろいろいじって、その妥当性を頭の中で吟味する思考実験をしてみたりします。しかしこれは、言うは易く、行うは難い知的作業の典型です。そもそも推論というのは、単純な数学的操作などとちがって、誤謬と裏表の関係にある、ある種の危うさを含んだ知的作業で、一般的に正しい手順などというものはありません。それは想像力とも隣り合わせの関係にある能力で、いい方向に想像力の助けが得られれば、思わぬいい推論ができますが、下手をすると、いわゆるトンデモ科学的な推論になってしまうわけです。

証拠が少ないと、なんでもいえてしまう典型が邪馬台国論争[22]です。邪馬台国はもともとは「魏志倭人伝[23]」のちょっとした記述に端を発しているわけですが、その読み方、その解釈の仕方、さまざまな傍証をどう取り入れるかによって、九州説あり、大和説あり、九州説は九州説で、九州各地いろんなところが邪馬台国に見たてられているし、大和説もいろいろあり、九州でも大和でもないという説もある。といって、どこでもいいからやみくもに説を立てているわけではなく、それぞれそれなりの根拠を見つけてもっともらしい説を立てているわけで、証拠が少ないとどんなことでもいえる典型のようなフィールドになっているわけです。

証拠が少ないために、邪馬台国論争状況になっているフィールドは、サイエンスの中にもいろいろあります。

テイヤール・ド・シャルダンが専門としていた進化論、古生物学の世界も多分にそういう趣きがあります。だいたい、生物の死体なんて、ほとんど分解してしまっ

(22) 二〜三世紀ごろの日本にあった国。「魏志倭人伝」に記述があり、その解釈をめぐり、位置についてさまざまな議論が古くから対立している。

(23) 三世紀末の中国の史書『三国志』のうち、倭(日本)人に触れた部分を「魏志倭人伝」と通称する。日本に関する最古の中国側文献。倭には邪馬台国という国があって女王卑弥呼が治め、三〇国余を従えていたことや、社会秩序・風俗・習慣・産物等が約二〇〇〇字にわたり記されている。

て、何の痕跡も残さないのが普通です。化石として残るなんて本当に奇蹟みたいなことですから、化石で進化を語るということは、極端に少ない証拠で、極端に大きなストーリーを語ることなんです。それに古生物の化石というのは、たいてい小さな断片で、一つの生物の骨格が丸々発見されるなんてことは滅多にないんです。ですから古生物学者は小さな断片から古生物の全体像を復元するという、ここでも小さな証拠から大きなストーリーを組み立てる仕事をしなければならないんです。そして次に、さまざまな古生物が複合して構成していたある時代の生物界の全体像を描かなければならない。次にそれらの全体像を時代から時代に追って、その歴史的展開を調べなければならない。そのときはじめて、生物進化の全体像が見えてくるわけです。それはほんの数片のジグソーパズルのかけらから、大きな絵を復元するみたいな仕事ですから、確実性はどうしても小さくなります。

ですから進化論、古生物学の世界ではいろんな異説が渦巻いています。極端な話、進化そのものを信じないという人たちもかなりいます。特に、アメリカのファンダメンタリスト(24)の間では、進化論は旧約聖書の神の創造説と矛盾するというのでそれを信じない人が多く、学校で進化論を教えることにも反対しています。実際、そういう人たちが一定の政治力を持っている南部の公立学校では、進化論を教えないところが結構あるんです。

進化の個別具体的なプロセスにいろいろ異論があるのはもちろん、進化のメカニズムについても、定説となっていたダーウィンの自然選択による適応進化論[25]に、その後分子進化の中立説[26]や断続平衡説[27]といった新しい理論が出て、いまではそちらのほうが正しいとする人が多くなったりしています。

後から具体的に述べるように、テイヤール・ド・シャルダンの進化論は、どの系列

(24) fundamentalist　根本主義者。原理主義者ともいう。聖書の無謬性を主張し、天地創造やキリストの処女降臨・復活・再臨などの教理を根本原理として信じるプロテスタントキリスト教徒。

(25) 生物が世代を経るにつれて、その環境に適応する形態・習性などの形質を選択すると主張した理論。選択は主に個体間の生殖で遺伝的に変化していく。

(26) 日本の木村資生によって提唱された、生体高分子の進化に寄与する突然変異は、自然淘汰に有利なものよりも、淘汰とは無関係（中立的）なもののほうが圧倒的に多いとする説。

(27) 連続的に一定の速度で進化が進むとする漸進説に対して、スティーヴン・グールドらが提唱した説で、短期間の急激な進化と、長期にわたってあまり変化しない平衡状態がくりかえされるとする。

にも入らない独特のものです。進化論というのは、少ない証拠で大きなことがいえるフィールドですから、どんな独特の説を立ててもいいことはいいんですが、これに対していちばん困っているのが、ローマ法王庁なんです。キリスト教の基本的考えでは、進化論的事象を含めて、この世で起こる一切は神様のおぼしめしです。もともと、キリスト教の教派の中には、進化論全否定のところもあるくらいですから、過激な選択をすれば、テイヤール・ド・シャルダンの思想を含めて、進化論を丸ごと否定するという選択もあったと思うんです。しかし法王庁は、そういう道は選ばず、彼の思想の発表を禁ずるという道を選んだわけです。カトリックというのは、信者を一〇億人もかかえるきわめて大きな組織で、その中にはたくさんの科学者もいますから、あまり変なことはできません。カトリックは、信仰の問題、倫理上の問題で衝突が起きない限り、サイエンスの研究に対しては、科学の研究を通じて、この世界がより明らかにされることは神様の働きを明らかにすることだという観点から、好意的なんです。カトリックの内部には科学アカデミーもありますし、名のあるサイエンティストがたくさんいます。そういう内部の科学者の信認をつなぎ止めておくためにも、進化論全否定といったあまりに非科学的なことはできないわけです。

ヒトはどこから来たのか

テイヤール・ド・シャルダンは、法王への絶対服従を大原則とするイエズス会に所属する修道士ですから、著書発表も含めて、何らかの対外活動をするときはすべて、法王庁に直結するイエズス会中央の許可を受けねばなりません。だから、単なる著書の発表禁止だけなら、理由もいわず（それがイエズス会では普通です）、単に許さないというだけでよいのですが、法王庁はこの問題をかなり重要視して、わざわざ回勅を出したのです。（『カトリック教会文書資料集』の問題の部分を示して）それがこの一九五〇年八月に出されたピウス一二世[28]の「Humani generis（人間の起源）」という回勅です。

実は、この問題に関しては、テイヤール・ド・シャルダンの側からも、法王庁の側からも、どのような経緯があったのか明らかにされていませんから、いまだによくわからない部分があるんですが、基本的にはこういうことです。

（28）Pius XII（一八七六～一九五八）　第二六〇代のローマ教皇（在位一九三九～五八）。第二次大戦中、ナチズム、共産主義との対決姿勢を強く打ち出した。また友進化論の立場でも知られる。

テイヤール・ド・シャルダンは、大学の学生時代から古生物学の世界に入り、特に第三紀中期の哺乳類進化を中心的に研究しました。

第三紀中期と聞いて、どういう時代かわかる人どれくらいいますか？（ほとんど手があがらない。）地質時代で第二紀が中生代で、爬虫類の全盛期、恐竜の時代です。中生代はだいたい二億五〇〇〇万年前から六六〇〇万年前くらいまでつづきます。そのあと哺乳類の時代が来て、これが第三紀です。六六〇〇万年くらい前から、二〇〇万年前くらいまでつづきます。そのあとが第四紀で、いまも第四紀です。第三紀、第四紀が生物進化の上では、新生代といわれ、現生の陸上生物のほとんどはこの時代に起源を持っています。第四紀は人類の時代とも呼ばれ、さらに区分すれば、更新世と完新世にわかれ、更新世が氷河の時代で、完新世がそれ以後の現在につらなる時代です。

テイヤール・ド・シャルダンが一九二二年に書いた学位論文は「フランスにおける始新世の哺乳類とその地層」というもので、始新世というのは、第三紀のはじめのころで、だいたい五〇〇〇万年前から三五〇〇万年前までくらいです。この論文は学問的に高い評価を受けて、彼はパリのカトリック大学の地質学・古生物学の助教授になります。このころ、彼はメガネザルの起源の問題を探求するうちに、彼の生涯をかけての研究テーマである人間の出現の問題に熱中していきます。

誰でも知るように、ヒトとサルは共通祖先から進化したわけですが、そのサルはどこから出てきたのか。よくわからないんですが、だいたい七〇〇〇万年くらい前、第三紀のはじめかその少し前くらいに食虫類（トガリネズミとかハリネズミのたぐいですね）から進化したんだろうといわれます。進化的に古いのは、ツパイ、キツネザル、メガネザルなど、原猿[29]と呼ばれているサルですね。原猿は、いまでは東南アジア、アフリカのごく一部の地域にしかいません。しかし、大昔、第三紀のはじめごろはものすごくいたんです。ヨーロッパでもアメリカでも、たくさんの化石が発見されていまず。ヨーロッパで古生物学を勉強して、第三紀に興味を持てば、必然的な流れとして、原猿類に興味を持っただろうといっていいかもしれません。そのころアメリカ大陸とヨーロッパ大陸は一つにくっついていて、亜熱帯林におおわれていました。そこ

(29) 霊長類（サル目）のうち、原始的な猿類の総称。一般に小形で、指に鉤爪があり、その強い把握力で樹上生活をする。大脳の発達程度は低いが、眼が側方ではなく前方に向いている。主食は昆虫。アイアイ、キツネザル、ロリス、インドリ、メガネザル科を含む。擬猴類ともいわれる。

で恐竜絶滅後、原猿類がどんどん増えていったんです。

原猿はサルといっても、姿形が普通のサル（真猿[30]）とかなりちがいますから、これが本当に人間と共通祖先を持つのだろうかと疑問を持つかもしれないけれど、いま、こういう進化の系統樹は、DNA分析でも、アミノ酸分析によって調べる分子進化[31]の系統樹作りでも確認されていますから、まず間違いないところなんです。

図5　メガネザル

この時代、原猿類は大変栄えていましたから、この三つの系統も、それぞれ何十種類もの種属にわかれていたことが化石からわかっています。しかし、その大部分は絶滅してしまって、現存しているのはほんのわずかになってしまったんです。

（メガネザルの絵を示して）この眼が大きくてちょっと可愛いのが、メガネザルで、フィリピン、ボルネオなどに住んでいます（図5）。体重は一〇〇グラムあまり。脳の重さは三グラムで、脳より目玉のほうが重いという視覚優先型の動物です。脳の半分以上が視覚野になっていて、このすぐれた視覚能力を利用して、節足動物類[32]をどんどんつかまえ、木から木へ飛び移り、森の中で有利な生態的地位を獲得して繁栄することができたわけです。

原猿の中で、このメガネザルの祖先が、真猿と原猿の共通祖先になっています。つまり、人間のいちばん遠い祖先として確認されている霊長類はメガネザルの祖先なんです。同じ祖先から出ているわけだから、現在のメガネザルと人間の間にはかなり共

(30) 霊長類(サル目)のうち、原猿類に対してより高等な猿類を指す総称。立体視できる目を持ち、樹上生活をし、色彩を識別して、植物を主食とする。左右の鼻孔の幅によって、広鼻猿類(オマキザルなど)と狭鼻猿類(ニホンザルなど)に大別される。

(31) 異なる種のDNAを比較することで塩基配列(アミノ酸に対応)を知ることができるが、この塩基配列は進化の過程で一定の割合で置換され、固定されていくので、近縁種を比較し、配列の相違の程度を知ることで、いつごろ分岐が起きたかを推定し、系統樹を作ることができる。

(32) 無脊椎動物の一門。陸棲では昆虫、水棲では甲殻類と、地球上のあらゆる場所に分布し、その種類は全動物の八割を占める。小形で左右相称。多くの環節から成り、肢にも環節があるのが特徴。外皮は硬く、外骨格となり、その内面に筋肉が付着する。開放血管系を持ち、発育の途上で変態するものが多い。

通点があります。鼻や眼の構造、脳の構造、胎児膜、生化学的成分などがよく似ているといわれます。

（霊長類進化の流れの図を見せて）このように、原猿の中から真猿が生まれ、真猿が旧世界ザル[33]（狭鼻猿類）と新世界ザル[34]（広鼻猿類）にわかれ、旧世界ザルの中から、ヒトと類人猿の共通祖先であるヒト上科のサル[35]（ホミノイド）が生まれてくるわけです。ヒト上科に属するサルとしては、プロコンスル、エジプトピテクス、ケニアピテクスなどさまざまな化石がアフリカ、アジア、ヨーロッパなどで発見されています。時代としては、二三〇〇万年前、一七〇〇万年前、一四〇〇万年前などいろいろです。

このホミノイドの中からヒトの直接の祖先であるヒト科（ホミニド）が出現します。ホミニドは、ヒト亜科とオランウータン亜科の共通祖先で、ヒト亜科からはヒト属（ホモ）、アウストラロピテクス属[36]、チンパンジー属、ゴリラ属が生まれるという運びになります。

アウストラロピテクスに属するのが、いわゆる猿人で、いろんな種類が発見されています。ヒト属の中でまず分岐するのが、いわゆる原人で、ホモ・サピエンスが旧人（ネアンデルタール人など）と新人（クロマニヨン人）にわかれ、我々は新人の直系の子孫であるということになっているわけです。

(33) アフリカ、アジアの旧大陸に生息するサル類。旧世界ザルおよびヒト上科の種は両鼻孔間の幅が狭いので狭鼻類と呼ばれる。とくに旧世界ザルだけを指して狭鼻猿類と呼ぶこともある。

(34) 霊長目オマキザル上科に属するサルの総称。鼻の穴の間隔が広いために広鼻猿類とも呼ばれる。南アメリカを中心に中央アメリカ、熱帯メキシコまで分布するので、新世界ザルと呼ばれる。

(35) 化石類人猿のドリオピテクス属のうちで、最もよく知られた亜属。標式資料はA・T・ホップウッドにより記載された。多数の歯や顎骨片のほかに、三個の頭骨（うち一個体は上肢骨を伴う）、多数の四肢骨が発見されている。一般にドリオピテクス・アフリカヌス、ドリオピテクス・ニャンゼ、ドリオピテクス・マジョールの三種に分類され、いずれもケニア、ウガンダの中新世中期初頭の地層から出土した。形態学的にアフリカヌスは現存のチンパンジーに、マジョールはゴリラに類似する。しかし眉上隆起は弱く、頬骨弓の発達も強くはない。眼窩間幅は大きい。犬歯は大きく歯列弓はU字形で、左右の頬歯列は直線的で、ほぼ平行する。大臼歯はラマピテクスやギガントピテクスやアウストラロピテクスに比べて小さく、エナメル質も薄い。また歯帯がよく発達しており、下顎大臼歯ではタロニドの発達がみられ、そのため前後に長くみえる。四肢骨の特徴から、彼らはブラキエーション（腕わたり）もナックル・ウォーキングも完成させておらず、むしろ広鼻猿のクモザルに似た運動をしていたと思われる。森林依存性も高かったらしい。

(36) 「南のサル」の意味。「南の」を意味するラテン語 australis と、「サル」を意味するギリシア語 pithékos からの造語。南アフリカから東アフリカにわたる地域で発見される猿人の一部、ないしは全部をさす動物分類学上の属名として使われる。

大筋はこんなところですが、細かいところでは、まだ新しい発見が相次いでいる段階ですから、いろんな異説があり、初期人類の進化過程について、確定的な定説ができあがっているというわけではありません。

でも、だいぶ固まってきているところもあります。まず年代ですが、ヒト属とチンパンジー属が分岐したのは、五〇〇万年前というのが、最近の定説になっています。かつては、ヒト、チンパンジーの分岐なんて、もっとずっと前だろうと考えられていました。化石だけから判断していた時代は、二〇〇〇万年前くらいだろうと推定されていました。しかしその後、生化学的分析によって分子進化から年代を推定する手法が確立され、一九六七年に分岐は五〇〇万年前という数字が出されます。専門家でも、ほとんどの人がそれを信じなかったというほど、それはショッキングな数字でした。みんな、ヒトと動物は決定的にちがうのだから分岐がそんな近いはずはない、という先入見にとらわれていたのです。その後、手法を変えたり、取りあげる試料を変えたりして、たくさんの追試が試みられましたが、多少のバラつきはあるものの、約五〇〇万年前というところが固まってきました。その後のDNA分析でも同じです。

人類進化の歴史

テイヤール・ド・シャルダンは一九五五年に死んでしまいましたから、このことは知りません。彼がこの分岐をどのあたりと思っていたかはわかりませんが、当時の専門家がみなそう思っていたように、二〇〇〇万年前とか、三〇〇〇万年前と考えていたんだろうと思います。ただ、テイヤール・ド・シャルダンの進化論の中心にあったのはヒト化（hominization）の問題であったとはいえ、彼はこの問題を全く別の角度から考えていましたから、それを知らなかったことは、別に彼の思想にマイナスの影響を与えるものではありませんでした。

アウストラロピテクスというのは、いろんな種類があるんです。いまでも発見がつづいていて、その系統をどう考えるかいろんな議論がつづいています。発見される場所はアフリカの大地溝帯が多いんですが、南アフリカ各地でも発見されています。時期もいろんな時期にわたっていますが、だいたい四〇〇万年前くらいから一〇〇万年前くらいまでにわたっています。同時代のアフリカ各地にいろんな種族が同時並行的に生息していたと考えられています。二〇〇万年前くらいからはヒト属も同時並行で生活していたわけで、その間に食べる食べられるの関係も含めてなんらかの交流がありえたと考えられています。

アウストラロピテクスは、いわゆる猿人であって、ヒト化の流れの中では傍流になっていて、ヒトの祖先というわけではありません（アウストラロピテクスの一つの系統をヒトの直接の祖先とする説もあります）。

ヒトのいちばん古い直接の祖先は、約二〇〇万年前にアフリカに出現したホモ・ハビリス[37]（器用な人の意味）と考えられています。ホモ・ハビリスは、急に脳が大きくなっており、進んだ石器を使うようになります。

ではそれ以前のアウストラロピテクスは石器を使っていたかというと、両説あります。（アウストラロピテクスの石器といわれるものを示して）この程度の石器は彼らも使っていたといわれます。前期旧石器時代の石器といわれるものです。文化史と人類学的歴史とは必ずしもうまく結びつかないから、前期旧石器はアウストラロピテクスなんて、直線的に結びつけてはいけません。前期旧石器といわれる石器を使った種族にはヒト属もいるんです。この石器にしてもアウストラロピテクスの石器ではなく、同時代のヒト属（ホモ）の石器だという説もあります。時代は約二五〇万年前で、両者混在していたからどちらもありえます。

ただ基本的能力として、アウストラロピテクスが道具を作る能力を持っていたかということになると、持っていたはずです。だって、チンパンジーだって石器より低レベルだけど道具を作って使うことができるんですからね。チンパンジーの脳容積は四〇〇cc以下なのに、アウストラロピテクスは、種類によってちがいますが、五〇〇ccから六〇〇ccくらいあったんです。彼らは石器はともかく骨角器[38]は使ったろうといわれています。ホモ・ハビリスになると、八〇〇ccにもなり、彼らが石器を作っていたことは確実なんです。

人類進化の歴史において、脳容積の増え方と、石器の進歩、生活様式の変化（特に社会的生活）は見事にパラレルな関係になっていて、ある時期からの人類進化は、脳進

(37) いまから二〇〇万年前ごろの数十万年間に生存していたとされ、脳がより大きかった点などから猿人と区別される。基本的には直立二足歩行を行い、からだの大きさは、現代人よりも全般に小さめであったと推定されている。

(38) 動物の骨、角、歯牙で作った器具。その最古の遺物は、一〇万年から五万年以前の旧人であるネアンデルタール人のもので、鹿の骨をノコギリで引いたものが出土している。

化と文化進化、社会進化に局面が移ったのだということがわかります。脳の形の分析や生活様式から、言語の使用もこの時期にはじまっただろうと考えられています。

ホモ・ハビリスの中から、やがて、さらに脳が大きくなったホモ・エレクトゥス（原人）[39]が出現してきます。ホモ・エレクトゥスは、原義は「直立した人」の意味ですが、これは発見当時、それがはじめての二足歩行者と考えられたからつけられた名前で、実際の二足歩行能力は、すでにアウストラロピテクスの段階で獲得されていたことがわかっているので、いまではこれに直立原人などの訳語はつけないことになっています。典型的な例がジャワ原人（ピテカントロプス）、北京原人（シナントロプス）、ヨーロッパのハイデルベルク人などで、アフリカにもいろいろいます。脳容積は九〇〇ccから一〇〇〇ccにもなり、火を使った痕跡も出てきます。

時代的には、一五〇万年前から約五〇万年前あたりです。そのあとにネアンデルタール人（旧人）[40]やクロマニヨン人（新人）[41]が出て、文化的には、中期旧石器時代から後期旧石器時代に入っていくわけです。

進化の見方を覆す小石の発見

問題は、テイヤール・ド・シャルダンがこういったことをどれだけ知っていたかですが、彼が生きていた時代は、こういった先史時代の人類化石が次々に発見されつつあった時代ですから、彼は相当のことを知っていたはずです。

大きな発見がいつごろなされたかをざっと述べておくと、クロマニヨン人、ネアンデルタール人、ピテカントロプスは、すでに一九世紀に発見されています。ホモ・エレクトゥスは二〇世紀はじめに発見され、アウストラロピテクスは一九二四年に発見され、北京原人の発見が一九二七年となります。

北京原人の発見では、テイヤール・ド・シャルダンが中心的な役割を果たしまし

(39) 人類進化の段階の一つで、新人、旧人の前、猿人の後に位置づけられる。時代的には更新世前期から中期にわたる。一九六〇年代以降、これらの更新世前・中期の化石人類は、ヒト属の一種に属すると考えられるようになり、ホモ・エレクトゥスと呼ばれることになっている。

(40) ドイツ、デュッセルドルフ近郊の石灰岩洞窟から一八五六年に発見された旧人の呼称。この人類はその後絶滅したとする説と新人に進化したとする説がある。

(41) 一八六八年、フランス南西部のクロマニヨン岩陰遺跡で発見された化石人骨。人骨は、その後ヨーロッパ各地で発掘された。年代は四万〜一万年前と推定される。

た。最初の発見（一九二七年。ただし臼歯一本のみ）には参画していなかったものの、その発見をきっかけに一九二九年からはじまった本格的な発掘では、中国地質調査所から科学顧問として招かれ、地質部門、古生物学部門を指導します。美田稔「テイヤール・ド・シャルダン小伝」（クロード・トレモンタン『テイヤール・ド・シャルダン』新潮社所収）は、次のように記しています。

「テイヤールの役割はきわめて重要なものだった。彼は周口店の地層に精通した地質学者であり、周口店出土の哺乳類化石に関する権威者であった。彼のおかげで周口店の地層は層位学的に徹底的に解明された。また彼はシナントロプスの化石の年代を証明するのに決定的な役割を果している。（中略）テイヤールはルロワ[42]と一緒に北京の新世代研究所に入り、発掘作業の指揮者、友人の裴文中に尋ねた。

——何か新しいものが出ましたか？

——いえ、何も出ません。

——しかし？

裴はためらいを示し、引出しを開けて、硅石の小石をさも興味なさそうにテーブルの上に並べた。テイヤールはそれらを手に取って丹念に調べていたが、突然大声で叫んだ。〈ああ、これは非常に重要なものだ。これは細石器ではないか〉と言って、発掘現場の正確な位置を質した。こうして調査が進められた結果、はたして数百キロにのぼる石器（石英製の打製石器ならびに剝片石器）と火を使用した炉の遺跡が発見されたのである」

この時代、北京原人の発見や、アウストラロピテクスの発見によって、世界中で人類進化に対する関心が高まっていました。キリスト教圏の人は、ダーウィン以後も、ヒトがサルから進化したなどと信ずる人は稀で、大部分の人は相変わらず、ヒトはすべて神が創造した最初の人間、アダムとイブの子孫なのだという聖書の神話を信じていました。何しろヒトがサルから進化したという証拠がほとんどなかったからです。しかし、この時代のあいつぐ人類化石の発見は、ダーウィンが提出できなかった

（42）Pierre Leroy（一九〇〇～九二）　フランスの生物学者、カトリック司祭。三〇年、イエズス会司祭となって中国に派遣され、天津歴史博物館館長、北京生物地理研究所長などを歴任。シャルダンと親交が深く、往復書簡やシャルダンに関する研究を残す。

証拠を提出したかに見えたので、人類進化論が世間の関心を大きく引いたのです。そこに、北京原人の発掘者の一人として名高いテイヤール・ド・シャルダンが人類進化について本を書くとなれば、注目を集めたのは当然です。人類進化の研究者のテイヤール・ド・シャルダンが、アダムとイブ神話にもとづく話を書くわけはないだろうということを、法王庁はどういう経路で手に入れたのかわかりませんが、テイヤール・ド・シャルダンが書いたメモ書きによって、すでに知っていて、頭をかかえていたのです。

第六章　複雑化の果てに意識は生まれる

物質から生命へのジャンプはどのようにして起こったのか

テイヤール・ド・シャルダンの進化思想を簡単に説明しておきます。といっても、もともと彼の思想には独特の難解さと同時に、独特の曖昧さがあって、明快かつ簡潔に要約するのは難しいところがあるから、わかりにくいかもしれません。それは彼の書くものがピュア・サイエンスの論文ではなくて（そういうものもあるんですが、一般にテイヤール・ド・シャルダンの著作として読まれているものはそうではないんです）、進化論と哲学と宗教と、三つの世界の境界領域のようなところで、文学的香りが高い文章で綴られたエッセー（フランス語のエッセーは随筆というよりむしろ、試論、小論、論考といった意味あいですが）であるという性格によるのかもしれません。単なるピュア・サイエンスの論文として見れば、もう六〇年も七〇年も前に書かれたもので、内容的に古くなっていますから、そんなに読む価値はないんですが、彼の書くものは、文学性、思想性、宗教性をあわせ持っているので、時代を超えた魅力があるわけです。

彼の進化論においては幾つかの独特な概念が提出されていて、それは学術的に広く認められたものではないんですが、進化あるいはもっと広くこの世界の成り立ちを考える上で非常に刺激的な概念で、事実、それに多くの人が影響を受けたわけです。その影響がどれほど大きなものだったかは、彼の死後直ちに作られた遺稿集刊行委員会に、アーノルド・トインビー[1]、ジョルジュ・デュアメル[2]、アンドレ・マルロー[3]、ガストン・バシュラール[4]、アンドレ・シーグフリート[5]、ジュリアン・ハックスレーといった人々が名前をつらねていることでもわかります。

彼の独特の概念としては、「複雑化＝意識の法則」、「精神圏（ヌースフィア）」、「オメガ・ポイント」、「超人間」、「超進化」などがあります。

（1）Arnold Joseph Toynbee（一八八九〜一九七五）　イギリスの歴史家。歴史を国家ではなく、文明の進歩とする歴史観によって、世界を二一の文明圏に分け、その盛衰を分析した全一二巻の『歴史の研究』で知られる。

（2）Georges Duhamel（一八八四〜一九六六）　フランスの小説家、詩人、評論家。医学の修業のかたわら、文学にも関心を持つ。反画一主義と穏健なヒューマニズムを基調とする、反時代的な人間観と世界観で『サラバンの生涯と冒険』（一九二〇〜三二）などをものした。

（3）André Malraux（一九〇一〜七六）　フランスの作家、政治家。小説に『征服者』『王道』『人間の条件』など。戦後はド・ゴール Charles de Gaulle（一八九〇〜一九七〇）の側近として、情報相、文化相を歴任。

普通は進化を考えるときに、物質進化と生命進化をわけて考えます。生命の誕生の前と後は、全く異なる世界と考えるわけです。しかし、テイヤール・ド・シャルダンは、それはひとつらなりの過程であると考えます。

人によっては、特に伝統的キリスト教の立場としては、生命進化を認める立場であっても、人間の出現の前と後では画然とちがう世界であると考え、両者の間に絶対的断絶があると考えます。高級な意識があるのは人間だけで、動物には意識なんてないと考えるのです。

テイヤール・ド・シャルダンは、動物と人間もまたひとつらなりの流れであると考えます。動物に意識があるのは、当たり前のことではないかといいます。それどころか、物質にも意識が潜在的にあるのだといいます。ただそれがあまりにも低レベルにあるので顕在化しないだけだというわけです。こういう考えは、古代インドの思想の中にもあります。石ころの中にも意識がある。万物の中に神がいる。鉱物の中にも神がいるが、神は眠っている。植物の中で神ははじめて目ざめ、動物の中で動くようになる。そして人の中ではじめて思惟する。こういう表現がウパニシャッド[6]の中にあります。テイヤール・ド・シャルダンの思想は、そういう考えに近いところがあります。しかし、インド思想のほうは、単なる思弁であるのに対して、テイヤール・ド・シャルダンのほうはもう少し科学的な展開があるんです。

進化というのは時の流れの中で起こる変化の積み重ねです。同じ種が世代交代を重ねる中で、あるとき、ジャンプが起こる。種の壁をとびこえるような大きな跳躍があり、新しい種ができる。その大きな変化は、小さな変化の積み重ねとして起こるのか、それとも、ときどき非線形の大変化が突然起こるのか、二つの考えがあるわけです。前者が古典的進化論で、変化そのものはいつも小さいけれど、その累積がある閾

（4）Gaston Bachelard（一八八四〜一九六二）　フランスの科学哲学者。構造主義の先駆者の一人として、また、その詩論、イマージュ論でも知られる。二〇世紀の「物理学の革命」を目のあたりにし、科学をその動的な変化発展の相においてとらえる中で、この変革期の科学の、その活動に即した意味を、従来の哲学や日常的認識、あるいはまた科学者自身に投げかけることに「科学の哲学」の位置を求めた。

（5）André Siegfried（一八七五〜一九五九）　フランスの経済学者、文明批評家。アカデミー・フランセーズ会員。主著に、『現代のアメリカ』などがある。

（6）Upaniṣad　古代インドの哲学書。「奥義書」と訳される。その中心思想は宇宙の本体としての「ブラフマン（梵）」と人間存在の本質としての「アートマン（我）」の同一性を悟る「梵我一如」の思想。

値を超えるときに大変化になると考えるわけです。後者は現代進化論の主流になっている断続平衡説です。

ではその変化はなぜ起こるのかというと、何かの偶然で起こる遺伝子のコピーミスであるということになっています。分子遺伝学が進んだおかげで、DNAの塩基配列[7]のコピーミスが、どのようなときに、どのような頻度で起こるのかとか、どのようなコピーミスが起きたときに、どのような変化が子孫に起きうるのか（何も変化が起きないときもあれば、すぐに死んでしまうときもあります。形態異常や機能異常をもって生きのびていくときもあります。後者の場合、その異変が大きく、かつその変異をその子孫に伝えていくとき、それが種の変化につながるわけです）といったことがだんだんわかってきました。

といってもそういうことが厳密にわかるのは、分子生物学が発達して以後のことですから、テイヤール・ド・シャルダンの時代にはまだわかっていません。しかし、DNAレベルではわからなかったというだけで、古典的遺伝学はすでにありましたから、彼の時代にも、大ざっぱな議論はできました。

生物になってからの進化はそれである程度理屈がつくんですが、生命の誕生となると、話は別です。物質進化という考えがあって、無機的な物質が水環境、熱環境などの変化によって、さまざまな化学反応を起こし、化学的性質がどんどん変わっていく化学進化を起こす。それが物質進化の本体だという考えがあって、それは実際、化学的に起こりうることなんです。しかし、その延長上に、生命の誕生が本当に起きえたのかという疑問はいまだに残っています。物質と生命の間にあるギャップの大きさは、生物の種の間にあるギャップとはくらべものにならない大きさです。それをとびこえさせたものは何なのか。

いや、それ以前の問題として、一連の進化の大きな流れをもたらす推進力は何なのかということがあります。それを偶然の積み重なりというだけでは、何も説明しないのと同じではないか。

ここのところが、実際大問題なんです。よくわからないんです。熱力学の第二法則、エントロピーの増大則によって、世界は常に解体の方向に向かっているはずです。それなのに、なぜエントロピー減少の極致であるような生命誕生といった事態が

(7) DNAはリン酸、糖、四種類の塩基(アデニン、グアニン、シトシン、チミン)によって構成され、遺伝情報はこの塩基の並び方によって表現される。

起きたのか。そして、発生したばかりの生命はきわめてシンプルなものであったはずです。それがどんどん複雑になり、よりオーガナイズされていった。そしてより高次の生命体が生まれていった。生命進化は、よりよく組織され、より高次の機能を持った生命体が生まれる方向にずっと進んできました。世界が解体する方向にあるというのに、なぜその中でそれとは逆行する方向の生命進化の流れが起きたのか。世界が解体する方向にあるなら、起こるべきはその反対の現象ではなかったか。はじめにきわめて完成度の高い最高級の生命システムがあり、それがどんどん退行していって、より低劣なシステムになっていき、ついには生命として機能しなくなる。ただの有機物のかたまりとなり、さらにそれすら解体してバラバラの無機物質になってしまう。それなら、熱力学の第二法則で説明がつきますが、現実に起きた歴史はその正反対だったわけです。それはなぜか。

それに対して、これまでの科学は十分な説明を与えていません。エントロピー増大という熱力学の第二法則が常に成り立つのは断熱系[8]においてだけであって、開放系[9]においてなら、それに逆行する流れが生じても不思議ではないというだけなんです。

開放系なら必ず逆行するというわけじゃないんです。逆行しても不思議ではないというだけです。不思議ではないにしても、なぜそれが起きたのかは説明してないんです。

結局、ここのところはよくわからないんです。科学の最先端に行くと、まだよくわからない大難問がたくさんころがっているのですが、これもその一つです。

人間の自己組織化能力

最近あちこちで、自己組織化とか自己創出（オートポイエーシス）[10]といった言葉を聞くと思うんですが、これも似たような問題なんです。同じカテゴリーの問題が進化論以外のところでもさかんに問題にされるようになってきたということなんです。

（8）周囲の環境と切り離して、考察の対象とする部分のことを「系」という。断熱系は、周囲の環境と、物質のやりとりも熱のやりとりもない系。
（9）周囲の環境と、物質のやりとりや熱のやりとりのある系。
（10）システムの構成要素が再生産されることをあらわす概念。生物の細胞が絶えず自己の構成要素を再生産していることにヒントを得て、チリの生物学者ウンベルト・マトゥラーナとフランシスコ・ヴァレラが一九七〇年代初頭に提唱した。

早い話、人間社会というのは、自己組織化能力を持っているわけですね。国家もそうだし、地方自治体など小さな共同体もそうだし、企業なんかもそうでしょう。自己組織化能力の優劣によって、その共同体のパフォーマンスにものすごく大きな差ができてしまう。ですから、政治学でも、社会学でも、経営学でも、自己組織化の問題は重要なんです。

人間の肉体も自己組織化能力を持っています。たった一つの受精卵が細胞分裂を繰り返しながら一人の人間個体を作り出していく「発生」の過程は自己組織化そのものですが、そのプロセスはまだ謎に満ちていて、よくわかっていません。できあがった肉体も、自己組織化能力そのものです。無機物、有機物がランダムに存在する中で、水を取り入れ、ガスを取り入れ、食物を取り入れ、それを用いて自己の肉体の絶えざる再生産維持活動をつづける。これも自己組織化そのものです。

人間の脳も絶えざる自己組織化をつづけています。コンピュータのように人間がソフトを入れたり、情報をインプットしたり、キーボードでいろんな操作を命令しなくても、脳は自分勝手に情報を取り入れ、記憶し、それを手持ちの知識体系と比較照合して、それを修正したり付加したりして、知識体系をよりボリュームがあってより質が高いものにどんどん作り変えていくわけですね。これは脳の自己組織化です。脳は学習能力と記憶能力を駆使して、どんどん自分勝手に頭がよくなっていくことができるわけです。人工知能の研究をもう二〇年以上もやっていて、その進歩がもう一つなのは、人工知能にこの自己組織化能力がないからです。自分で頭がよくなれないから、人間が全部教えてやらなければならない。人工知能を簡単なことにしか使わないならそれでもいいんですが、ちょっと高等なことをやらせようと思ったら、ソフトと情報をインプットするだけで大変な手間になってしまってあんまり実用にならないわけです。人工知能はまだ知的に自立できていないので、赤ん坊みたいに手がかかるわけです。

人工知能に知的自己組織化能力を持たせること、高度な学習機能を持たせることが、いま人工知能の研究でいちばん重要視されています。ロボットの研究もいろいろ行われていますが、ロボットも運動機能とか、手指を微細に動かす能力といったものはどんどん性能アップがはかられつつあるのに、肝腎の脳は、まださっぱり進んでないんです。

いまのは脳の中身の自己組織化の話でしたが、ハードウェアとしての脳というか、脳の細胞学的構造のほうも自己組織化で作られていくんですね。これはよく考えてみると、驚くべきことです。脳というのは大脳皮質だけで神経細胞が一四〇億あり、他の部分の神経細胞を全部かぞえたら、数千億あるんです。それが互いに樹状突起[11]と軸索[12]をのばしあって、信じられないほど複雑に互いに結びついている。その結節部のシナプスが細胞によってちがうんですが、少ないものでも細胞一つあたり数千、多いものだと数万から一〇万を越すものまである。ということは、脳全体では、数百兆になるのではないかといわれます。そんな複雑な神経回路網は人工的に作ろうと思っても、とてもできないわけです。設計図を書くことすらできない。それを脳は自分でちゃんと作ってしまうんです。どうやってそれほどの自己組織化能力を発揮しているのか、まだほとんどわかっていません。脳がいかに形成されるかという問題は、脳科学の上でも、発生学の上でも最大の問題ですから、いまいろいろな研究がすすめられています。まだわからないことがほとんどですが、脳が自己組織化していく過程はものすごくよくできているということがいろいろわかってきています。

神経回路形成の基本は、ある神経細胞が相手の標的細胞に向かって軸索をのばしていって、シナプスを作ることなんですが、それが実にうまくできているんです。実験的に、といっても、もちろんヒトの脳でやるわけではなく発生期のマウスの脳でやるんですが、標的細胞との結びつきをいろいろ妨害してみるんです。たとえば、標的細胞に向かう道筋にわざと障害物を置いてやるとか、標的細胞を移動してしまう（培養して別のところに置いてやる）とか、あるいは、せっかくできた結びつきをわざと切断してしまうとか、いろんなことをやってみるんです。すると、驚いたことには、神経細胞はそういう障害を乗りこえて標的細胞を探しあて、予定通りの結びつきを作るんです。切断されてもまた元通りの結びつきを作ります。どうやら標的細胞のほうがシグナル分子を出して、軸索を誘導しているらしいということがわかってきましたが、詳細はまだわかっていません。

あるいは、さまざまな元素や化学物質が結晶を作っていく過程も自己組織化現象と考えられます。もっと巨大な現象としては、星の生成、銀河の形成なども自己組織化

（11）神経細胞を構成する部分の一つで、細胞核のある細胞体から分岐した複数の突起のこと。外部からの情報を受けとる場所。

（12）細胞体からのびる突起で、樹状突起で受けとった情報は、細胞体で処理され、軸索を通って、軸索末端から他の神経細胞へ伝えられる。

現象と考えられます。星というのは、宇宙空間を漂っていた星間分子雲がいつのまにか寄り集まって、土星の輪のような構造を作り、やがてそれがものすごい勢いで回転する原子星雲回転ガス円盤となり、その一部が中心部に落下していってやがて原始星を作るという運びになるんですが、これも自己組織化です。

複雑系の上昇

自己組織化がいかにして生まれるかが、いまさまざまな領域の研究対象になっているわけです。最近、複雑系[13]ということがよくいわれていますが、これはこれまでの科学が、要素が少なく、しかもその間の相互作用が単純なものしか扱ってこなかったのに対して、現実の自然はもっと複雑なのだから、多数の要素が複雑にからみあった状態を扱えるようにしなければならないという反省から生まれたものです。これは物理化学現象から生物科学や経済学などまで含んだ、一つの大きなムーブメントになっているわけです。

これまでなぜどの学問でも複雑系を扱わなかったのかというと、実はそれをちゃんと扱う数学がなかったんですね。多数の要素がかかわる現象を記述する方法としては、統計があるんですが、それでできるのは全体を丸めて見た現象の記述だけなんです。その系を構成する要素がどう動いて、どうなっていくのかというダイナミクスを精密に扱う数学がなかった。多数の要素について精密にやろうとすると、すぐに計算爆発を起こしてしまう。いろいろごまかして簡単化すれば扱う方法がないではなかったけど、それは複雑系を複雑なままに扱う手法ではなく、複雑系を単純化できたものとみなして扱う手法で、あくまで、「みなし」なんです。

たとえば、高校の物理で、太陽系の惑星の運動はケプラーの法則[14]とニュートンの運動方程式[15]できれいに記述できるんだと習ったでしょう。だけど、実はニュートンの運動方程式できれいに記述できるのは二体問題だけなんです。相互作用する物体が二体

(13) 還元論的な従来の科学に対して、分野にかかわらず、膨大な要素が関係するさまざまな現象を還元化・単純化せずに扱おうとする科学。

(14) ドイツの天文学者ヨハネス・ケプラーが発見した、惑星の運動に関する三つの法則。第一は楕円軌道の法則、第二は面積速度の法則、第三は調和の法則。のちにニュートンが厳密な数学的定義をあたえた。

(15) 物体の加速度は、かけられた力に比例し、その方向に起こるというニュートンの第二法則を数式化したもので、$F = ma$という式で表される。Fは物体にかかる力、mは物体の質量、aは加速度を示す。

しかないときだけなんです。つまり、太陽と地球とか、地球と月とか、物体を二つだけにかぎればニュートンの運動方程式でわかるけど、三体問題あるいはそれ以上の多体問題は、一般に解けないんです。つまり、太陽と地球と月の相互作用は三体だから厳密には解けないんです。解くためには、いずれか一体の相互作用をゼロとみなすとかしなければならないんです。

最近、複雑系を扱うための数学的手法がいろいろ考えられて、その中で注目を浴びているのがカオス[16]ですね。カオスの本来の意味は混沌ですが、カオスは、一見わけがわからない混沌状態のように見えるけど、実はある特有の数学的構造を持っている場合をいってるんです。間違いやすいんですが、本当に混沌状態にあって何がどうなるかわからないものはカオスとはいいません。カオスの場合は、混沌状態がつづくようで、やがてアトラクター[17]と呼ばれる収束状態に落ちついていくんです。そういうことが自己組織化の一つの原理になっているのではないだろうかといわれています。

一見ただの混沌と見えたものが実はカオスだったという例はいろいろ発見されているんですが、だからといって、あらゆる複雑系がカオスで扱えるようになったというわけじゃないんです。まして、自己組織化がこれでわかったというわけじゃないんです。しかし、自己組織化というのはやみくもに起こるわけではなくて、それが起こる場合には何らかの数学的構造のようなものがあるにちがいないでしょうから、これはかなりいいところに迫っているのではないかと考えられています。

進化の流れとは複雑化の流れ

さてこの複雑性ということについて、独特の思いをこらしたのがテイヤール・ド・シャルダンなんです。

テイヤール・ド・シャルダンは、複雑性というものが、この宇宙を測る基本的な尺度の一つであると主張したんです。図6を見てください。テイヤール・ド・シャルダンは、この宇宙を三つの無限（無限大、無限小、複雑さ）を持つ系としてとらえているわ

(16) あるシステムを特徴づける一定の規則（方程式）と、初期値（最初の状態をあらわす値）が与えられれば、そのシステムが将来どう変化するかすべて予測できるはずである。ところが、初期値を限りなく正確に指定することはできないため、コンピュータでそのシステムがどう変化するか解析したとき、解析結果と真の値の間に無視できないほど大きな誤差を生じる場合がある。そういう現象をカオスという。

(17) カオスなシステムが時間の経過とともに向かっていく集合のこと。

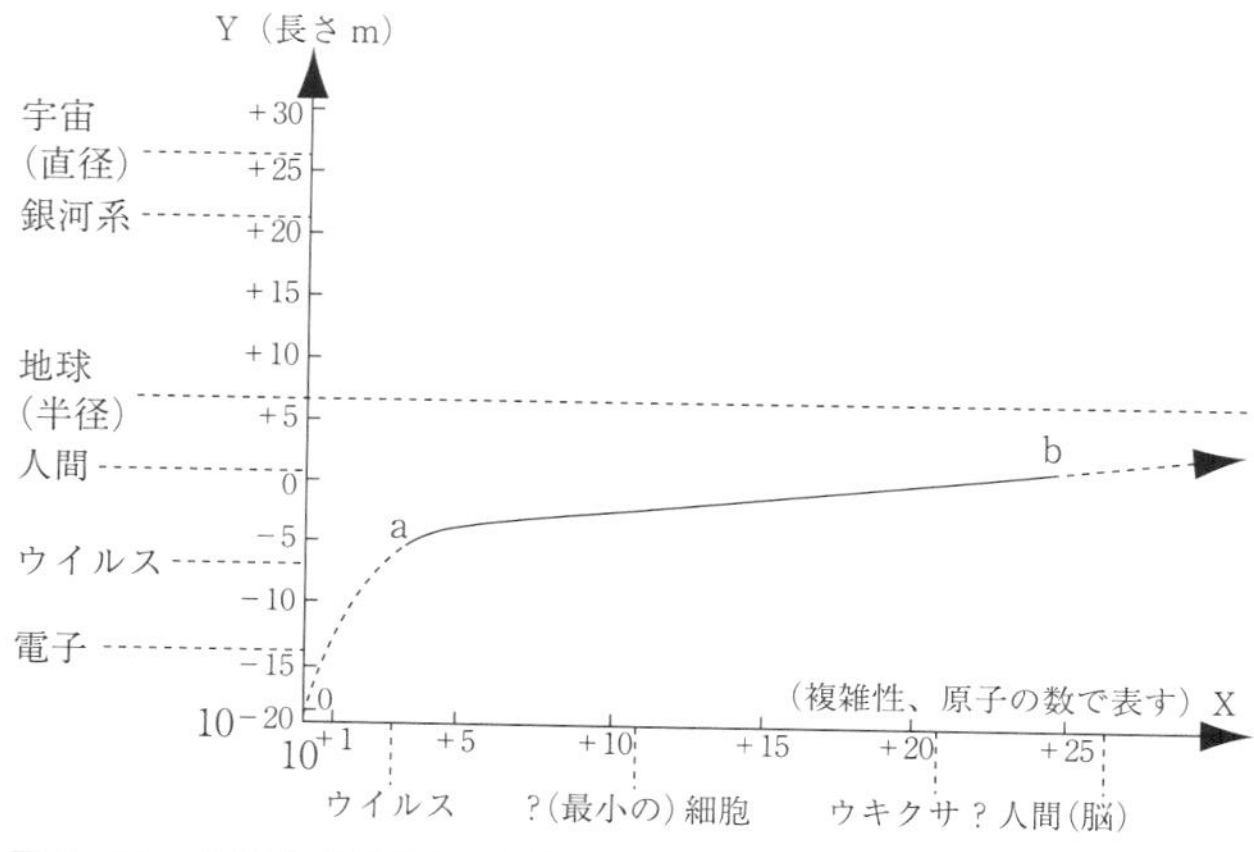

図6　三つの無限（無限大、無限小、複雑さ）を持つ宇宙。自然における「複雑性」の曲線
a.「生命化」（vitalization）の点
b.「人間化」（hominization）の点

けです。Y軸は、長さの無限大と無限小を結んでいます。前にガリバー尺の話をしたときと同じように、長さを全部10の何乗かという表示にして、宇宙の直径から、電子の大きさまで表示してあるわけです。

テイヤール・ド・シャルダンは、複雑性について、こういいます。

「宇宙を表現するには二つの無限ではなく、（少なくとも）三つの無限を考えなければならない、（中略）〈複雑さ〉は、ごく控えめに推定しても、無限大や無限小と同じように深いひとつの深淵なのでありま

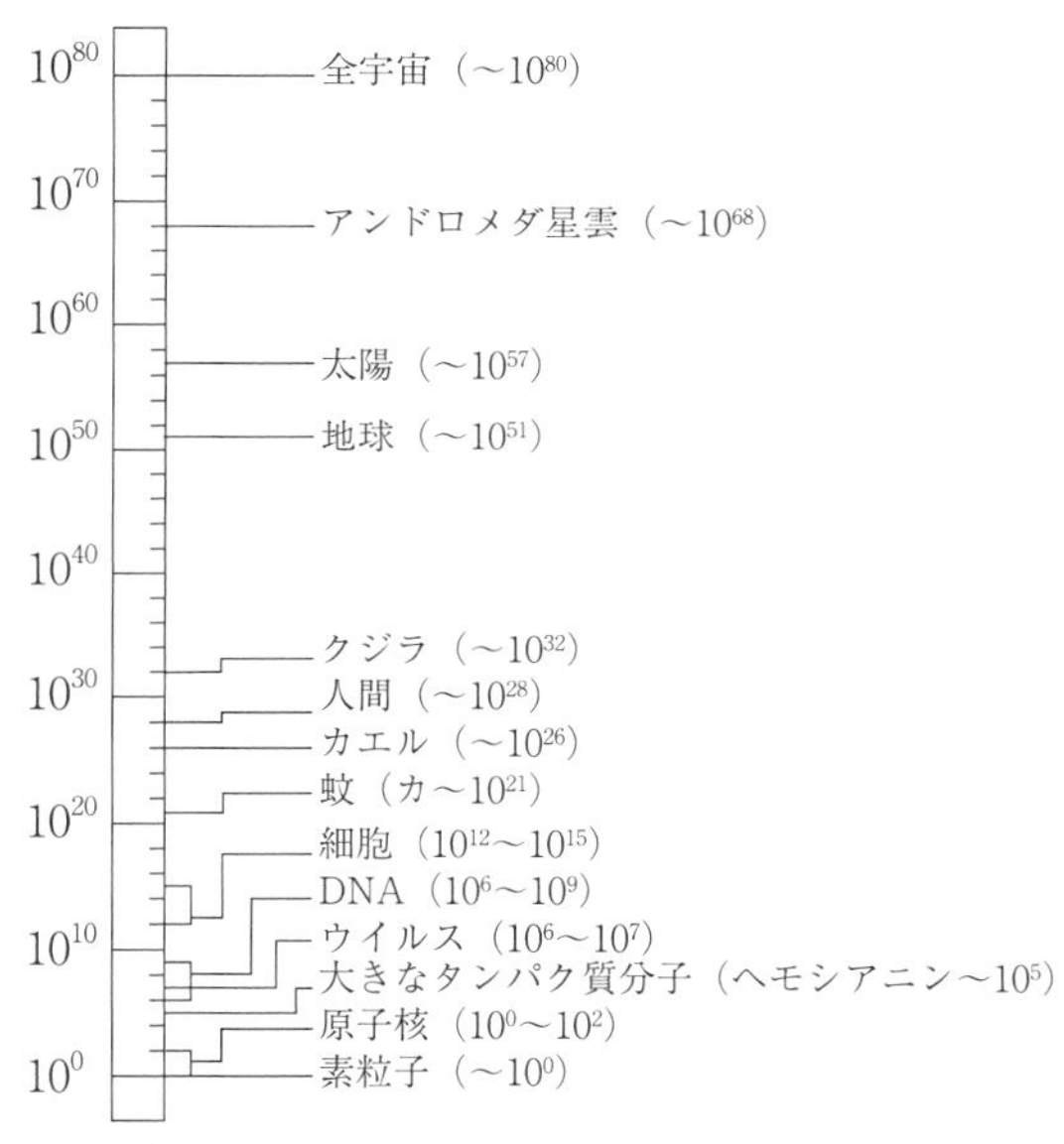

図7　核子の数をスケールであらわした物理的世界

す」（『宇宙におけるヒトの位置』山口敏訳〈著作集第六巻〉）

X軸が複雑性の尺度です。複雑性の尺度として、とりあえず、それを構成するエレメント（この場合は原子）の数をとっています。テイヤール・ド・シャルダンは、具体的なものとしては、ウイルス、細胞、ウキクサ、人間しかあげていませんが、同じような発想で、エレメントを核子（陽子、中性子）にとってそのスケールを10のべき乗でとった表が、『物理学のすすめ』（井上健編、筑摩書房）というぼくが学生時代に読んだ本にありましたので、ここに示しておきます（図7）。

複雑性のこの曲線は何を示すかといえば、進化の流れを示しています。要するに、進化の流れとは複雑化の流れだということです。進化の流れの中でも0点からa点（生命誕生）までの点線になっている部分は物質進化を示します。物質進化も、複雑化という道筋をたどり、複雑化があるレベルまで行きついたときに、生命の誕生という臨界点を通りこすわけです。複雑性がその臨界点を通りこしたときに、意識が生まれてくる。そして、複雑性がさらに増すにつれて、意識はさらにめざめていく。複雑性がさらに高まり、意識レベルがさらに高くなったとき、進化は、もう一つの臨界点を通過して、ヒトの誕生（b点）となるわけです。

宇宙を進化ととらえ、人間の位置を見直す

三つの無限から見た、宇宙におけるヒトの存在の位置づけについて、テイヤール・ド・シャルダンはこういっています。

「二つの無限しか存在しないような宇宙においては、高等生物（たとえばヒト）は〈中

間的なもの〉と考えられるかもしれません。しかし、三つの無限をもった宇宙においては、彼らは複雑さをもたない中間的大きさのものから離れて、ひとつの特別な枝の頂点に位置することになります。この末端の位置（それは原子や分子からの直接の延長線をなしています）において、彼らは銀河系や電子と同じように、ひとつの極点をなすのであります」（同前）

このあたり、パスカル[18]の『パンセ』の有名な次のようなくだりを頭においていることとは西欧の知識人には明らかです。

「自然によって与えられた全体のなかに、無限と虚無とのこの二つの深淵のあいだに懸けられている自己をかえりみて、彼はこの驚異のまえに恐れおののくであろう。（中略）そもそも人間は自然のうちにおいて何ものであろうか？ 無限に比しては虚無、虚無に比しては全体、無と全体とのあいだの中間者。（中略）人間は事物の始原

（18）Blaise Pascal（一六二三〜六二） フランスの哲学者、数学者。一六歳で「パスカルの定理」を発見し、一九歳で史上初の計算機を製作して、長じて真空の研究を通じて「パスカルの法則」を確立し、また確率論に先鞭をつけた。後半生は宗教家、著述家としての活動が主となり、イエズス会を批判した書簡と、草稿として残された『パンセ』が知られる。

をも終極をも知りえない永遠の絶望のうちにあって、ただ事物の中間の姿を認知するほかに、何をなしえようか？　万物は虚無から発し、無限へ向かって運ばれていく」（松浪信三郎訳）

パスカルにおいては、二つの無限の深淵に懸けられて、恐れおののく存在であった人間を、テイヤール・ド・シャルダンは、もう一つの無限軸を導入することによって、「もう一つの無限の極点」という高みに据え直したわけです。テイヤール・ド・シャルダンが西欧社会できわめて高い評価を受けたのは、このような人間存在のあり方の再解釈によって、パスカル的なペシミスムから人間を救い出したからです。

テイヤール・ド・シャルダン自身、そのような思想の流れ（パスカル的ペシミスムのその後の一層の進展は二〇世紀実存主義の源流の一つでもある）の中における自分の思想の持つ意味をよく認識していました。『宇宙におけるヒトの位置』で彼はこういっています。

「我々の祖先たちのいささか素朴な人間中心主義は、一九世紀の間に急速に、しかも行き過ぎと思われるまでに瓦解しました。わずか何世代かの間に、ヒトは自分が宇宙の中の微小なものに縮小してしまうのを見ました――あるいは少なくともそう信じこんだのです。地球は星雲の中のとるにたらない埃の粒となり、考える存在は、巨大な生命の樹に茂る何千という葉の中のたった一枚のあわれな小さな葉のようにしか見えなくなってしまいました」

　パスカルはパスカル的ペシミスムからの救いを神に求めたわけですが（『パンセ』はそういう本です）、神の存在を当然の前提としなくなっていた一九世紀後半から二〇世紀にかけての思想の流れの中にあっては、神による救いというロジックはうまく働かず、むしろサルトルの自己投企（プロジェ）の思想のように、自らの手で自分をペシミスムの淵から救い出すといった考えのほうが人気を博したりしていたわけです。しかし、そのような決意に救いを依拠させるという考えは、人間存在が基本的にペシミスティックな状況に置かれているという事態そのものを変えるわけではありませんでした。

　それに対して、テイヤール・ド・シャルダンが主張したことは、宇宙のあり方とその中における人間のあり方についての見方を変えると、世界は全く別様に見えてきて、ペシミスムの対極のような見方ができるということだったのです。

「ところが今では、我々の偏心の方向の極限にまで行きついた（人間なんて無に等しいというペシミスティックな見方のこと――立花注）振り子は、中庸をえた位置に向かって逆に戻ろうとする気配を見せています。ヒトはもはや静的な世界の中心ではない（このことは確定しています）が、動いている世界のきわめて重要な、あるいは主要なともいうべき要素である、というのが科学の誠実な前進への努力によって予見されはじめた展望なのであります」（同前）

この世界をスタティク（静的）に見ている限り、人間は二つの無限の間の無に等しい存在だが、世界を時間の中でダイナミックに動いていくものとして、つまり、宇宙のすべてが進化の過程にある、それも無限の複雑化をめざして進化しつつあるという、もう一つの無限軸を入れて世界を見直したとたん、人間はその中心的存在になるということです。

複雑化＝進化を動かすものは何か

図6のカーブは、その無限複雑化をめざして進化がたどってきた道筋を示すカーブでもあるわけです。その極点に人間がいるわけです。

では、この進化を動かしているものは何なのか。何が世界をより複雑化する方向に動かしているのか。

テイヤール・ド・シャルダンは、それは、宇宙にもともと内在する逆エントロピーの流れだといいます。この世界の事物は自然に複雑化の方向に向かうようにできているというわけです。

「宇宙はあたかも複雑性という錘りをつけられているように、たえずより完成された形の配列へむかって、高みから落ちてくるのである」(『自然における人間の位置』日高敏隆訳〈著作集第二巻〉)

「明らかに、宇宙素材の一部分は、放置されていても散逸しないばかりでなく、それ自体の開花力によって生命化しはじめる」(同前)

それは、「内面化的複雑化」という恒久的で不断の流れがあるからであるとして、この流れを、物理学におけるエントロピーや、電気力、重力などと同列にならぶ最も基礎的な概念として受け入れなければならない、といいます。

テイヤール・ド・シャルダン自身は、それを逆エントロピーと名づけてはいないのですが、いたるところでそれをエントロピーとの対比で語り、そのちがいは方向性のちがいであることを力説しているので、これからもそれを逆エントロピーと表現します。量子力学の基礎を築くとともに分子生物学の基礎を築いた人でもあったエルヴィン・シュレディンガー[19]は、ネゲントロピー[20](負エントロピーと訳されている)という言葉で、同じようにエントロピーに支配された自然の中にあって生命化に向かう自然の一部の傾きを表現していましたが、それはテイヤール・ド・シャルダンが考えている逆エントロピーと、ほとんど同じようなものです。

しかし、そういうものがあるということは認めるとしても、すぐにそれはいったい何なのか、という疑問がわいてきます。それに対してテイヤール・ド・シャルダンは、唯物論的に考えるとこんな可能性、唯心論で考えるとこんな可能性、唯物論でも唯心論でもない第三の可能性としてはこんなものがあると、並列的に可能な答えをいろいろ並べていますが、はっきり、どれが有力とは述べていません。そこのところはよくわからないとしかいいようがないからです。ただ、そのような現象としての逆エントロピーの流れの存在を認めることで、次のようなことが明らかになるといいます。

「生命というものはもはや宇宙における皮相的な偶然とみなされるものではなく、宇宙（コスモス）の中のどんな小さな裂けめからでも噴出しようとする圧縮された蒸気のようなものであり、ひとたび現われたら外にむかっては複雑性、内にむかっては意識の到達しうる極限に至るまで、あらゆる機会とあらゆる手段を利用せずにはいないものだとい

うことが、ますますよく理解できる」（同前）

そしてまた、逆エントロピーの存在を認めれば、「生物学は無限複雑の物理学以外の何物でもなくなる」といいます。というよりは、むしろ、生物学と物理学の間の壁を取りのぞき、どちら側からも相手の領域を自分の眼鏡ごしに見られるようにするということであるといってもいいでしょう。

物理学から生物学の領域に入っていけば分子生物学が成立するわけですが、テイヤール・ド・シャルダンのころは、それはまだはじまっていませんでした。逆のほう、つまり物理学の対象を生物学の眼で見ると――これは物質を生きているものとみなす、未開文化の物活論的見方[21]に通じるもので、一般に科学者はハナから問題にしな

(19) Erwin Schrödinger（一八八七～一九六一）　オーストリアの物理学者。波動力学の建設者として著名。一九三三年量子力学建設の功績によりノーベル物理学賞を受けた。
(20) 熱力学第二法則にしたがって、宇宙全体のエントロピーは増大していく一方だが、生命に部分を限って着目すれば、秩序が保たれる、つまりエントロピーの低い状態が保たれるように見える。そのことを指してネゲントロピーという。
(21) 物質を無機的なものと考えず、それ自体に生命力や霊魂があると考える、有機的生命的自然観。

い立場なのですが、テイヤール・ド・シャルダンは、そこにも一つの可能性を見出しています。

「絶対的に不活性な物質とか、全く無機的な物質というものは存在しない。宇宙のすべての要素は、いかにわずかではあっても、何らかの内面性と自発性、すなわち意識の萌芽を含んでいる。きわめて単純できわめて数の多い微粒子の場合、この特性は我々に知覚できないため、存在しないかのようにみえる」（『宇宙におけるヒトの位置』）

あるいはこうもいいます。

「生命というものが、（中略）すべての宇宙素材に共通した性質であるが、その複雑性が（中略）ある臨界値以下にある場合にはわれわれにはまったく見ることができず、それをこえたときはじめてわれわれの目でとらえうるものになるのだとすれば、すべては変わってしまう。（中略）複雑性が一〇〇万とか五〇〇万に近づくまでは、物質はわれわれの目には《死んだもの》（実際には、《前生命的》（中略）というべきだろう）に見えるが、それをこえると、生命の赤い輝きをおびはじめる」（『自然における人間の位置』）

ここで、複雑性が五〇万とか一〇〇万とかいっているのは、先の図6のX軸の説明で述べたように、エレメントの数です。しかし、本当の複雑性を測るためには、エレメントの数だけでは十分でありません。早い話、ヒトが複雑性の極点だというけれど、エレメントの数からいったら、ゾウやクジラのほうが多いにちがいないのです。

エレメントの数がただ多いというだけでは意味がなく、そこにより複雑性を高めるような組織立った結合がなければなりません。大事なのは、エレメント間の「結合の数と種類と緊密さ（密度）」だといいます。また、その結合が「閉じた全体」を作っていなければなりません。ランダムな結合もよくないが、かといって結晶構造のような同一パターンの反復もよくありません。

複雑性がよい方向に進むと、それは単なる反復ではない複雑性が増していく方向での階層構造（原子、分子、巨大分子、分子団のように）を作っていきます。それぞれに構造を持った複合体が層を織りなしていくわけです。いい構造には中心がなければなりません。中心を持った小構造の複合体がたくさん集まってより上位の構造（複合体）を作ったときに、その構造も中心を持っていなければなりません。

複雑化の果てに意識は生まれる

そのような複合体が密接に結合して複雑性をどんどん高め、それがある臨界点を越すと、全体が有機体となり、ある種の自律性（オートノミー）を獲得していきます。このような流れにおいて、意識の出現は当然すぎるほど当然のことと考えられます。それがさらに複雑性を高め次の臨界点を越すと生命体が生まれ、物質において萌芽としてあった意識が目ざめてくるわけです。

これが、「複雑化＝意識の法則」です。進化とはこの法則に導かれて、複雑化と意識の上昇が平行して進んでいく過程です。

「意識の出現は実際に、宇宙における偶発的、気まぐれ的、付随的な異常事象ではなくなり、反対に、ますます高い分子集合へと向かう宇宙物質の全体的偏流と結びついた、ひとつの一般的で正常な現象となります」（『宇宙におけるヒトの位置』）

結局、この宇宙では、エントロピー過程と逆エントロピー過程が同時に働いているというわけです。エントロピー過程は、起きる確率が最も高く、実際、よく起きる物質の崩壊と消滅へ向かう落下の過程です。逆エントロピー過程は起きる確率は低く、実際滅多に起きない過程ですが、しかし、起きることは確かに起きる、「信じがたいけれども否定しえない、たえざる上昇」です。「この二つの運動は同じ宇宙的な規模をもっています。しかし前者は破壊し、後者は建設します。したがって、我々の宇宙の時間を通しての真の軌道——宇宙進化の軸そのもの——を表わすのは、後者すなわち意識の上昇」（同前）というわけです。

そして、「複雑化＝意識」の頂点として、ヒトが登場してくるわけです。エレメントの数でいえば、必ずしも頂点に位置するものではないヒトが、複雑化＝意識の頂点と位置づけられるのは、進化の過程がより高次の複雑化＝意識の世界へ移ったとき、複雑性を測る尺度が、生物の高次の意識・精神機能をになう脳の複雑性の度合いに移るからです。ヒトと他の動物の脳をくらべた場合、「ニューロンの数」だけならともかく、それに「脳の構造（中心化の度合い）と脳細胞の機能的配列における完成度」を加えた三点から評価した場合、ヒトの脳が複雑性において圧倒的であることは疑問の余地がないというわけです。

このようなヒトという生物の登場によって、進化はもう一つの臨界点を踏みこえ、意識の主要な場は、脳の内省能力、脳の内部で繰り広げられる精神活動へと移っていくわけです。

そこで、「精神圏（ヌースフィア）」という概念が登場してきます。ヒト以前の動物は、地球の生命圏（バイオスフィア）の住人ととらえれば十分であったのに、ヒトの場合は、肉体的には生命圏（バイオスフィア）に属しているが、精神的には精神圏（ヌースフィア）の住人になってしまっているわけです。ここから、ヒトのさらなる進化、「超人間」、「超進化」という考えが出てくるわけです。

第七章　人類の共同思考の始まり

「進化」は全く新しい世界認識のカテゴリー

テイヤール・ド・シャルダンは、進化というものを、人間悟性の獲得した全く新しい世界認識のカテゴリーであると考えます。認識のカテゴリーというと、カント(1)のいう時間と空間というカテゴリーが頭に浮かぶでしょうが、進化というのは、それとならぶような基本的認識のカテゴリーだというわけです。進化という視点を通して見ることによって、はじめて世界は正しく認識できるというわけです。

万物は複雑化＝意識の法則に従って、より複雑化し、より内面化し、より高次の意識を持つ方向へ絶えず時間軸に沿って動いています。宇宙スケールでも、地球の生物界スケールでも、人間世界スケールでも、世界は常に進化をつづけており、その動きは一瞬たりとも止まることがないのだから、世界を時間的に止まったものとして認識するのは基本的に誤りなのですが、人間は進化論的な時間のスケールでものを見ることに慣れていないために、つい、世界は止まったものと見てしまいがちです。

「宇宙的大きさの運動の緩慢さによっていつも欺かれているために、われわれはすべて、人間が今なお進化の軌道の上を動きつつあると考えることに、多少ともいちじるしい困難を感じている。われわれは、星、山、そして生命の偉大な過去についてはもはや幻想にすぎぬことを知っている不変性を、われわれ自身についてはなおあてはめつづけている」（『自然における人間の位置』日高敏隆訳〈著作集第二巻〉）

というわけです。それはちょうど、この地球が猛烈なスピードで自転（赤道上で時速約一七〇〇キロメートル）するとともに、これまた猛烈なスピードで公転（時速一〇万七二〇〇キロメートル）していることを頭の中では知っているのに、日常感覚的には、この地球を不動の大地と考えてしまうのと同じことです。

世界を進化論的に見ると何がちがうかというと、世界を生成（フランス語でジェネーズ、英語ではジェネシスです。日本語でいう生物学の〝発生〟も、聖書の〝創世記〟もこれです）の過程にあるものとして見ることができます。世界はすでにできあがったものとしてここにあるわけではありません。いまも日々生成途上にあるんです。

（1）Immanuel Kant（一七二四〜一八〇四）　ドイツの哲学者。西欧近世の代表的哲学者の一人。『純粋理性批判』（一七八一）、『実践理性批判』（八八）、『判断力批判』（九〇）などで知られる。カントの哲学は、その後フィヒテからヘーゲルにいたるいわゆるドイツ観念論からさらには現代哲学のさまざまな立場の展開にかけて、たえず大きな影響を及ぼしつづけている。

宇宙は宇宙生成(コスモジェネーズ)の過程にあり、生命は生命生成(ビオジェネーズ)の過程にあるわけです。そして、生命が複雑化していって、ある臨界点を突破したときに、そこに精神形成が起きます。思惟する動物としてヒトが生まれるわけです。思惟（パンセ）とは何かといえば、内省的な意識を働かせて考えることです。知るだけなら、動物も知ることができます。しかし、自分が知っているということを知ること、認識の認識、内省的自己意識としての知を持つことができるのは人間だけです。思惟能力を持った人間集団の意識の全体によって織りなされる織物が精神圏(ヌースフィア)です。

つまり、精神圏(ヌースフィア)はヒトの誕生とともに生まれるのです。物質（世界素材(ヴェルトシュトッフ) Weltstoff）が複雑性のある臨界点（図6のa点）を突破したときに生命が生まれ、物質圏の上に生命圏(バイオスフィア)が広がります。生命が複雑性を増し、ある臨界点（図6のb点）を突破したときに、ヒトが誕生します。それとともに、精神圏(ヌースフィア)が生まれ、それは生命圏の上に広がっていきます。

この過程は全部ひとつながりのものです。だから、物質と精神という二元論は誤りだということになります。精神も物質も、もともと複雑化せずにはいられないという性質（逆エントロピーの傾き）を持つ世界素材(ヴェルトシュトッフ)の二つのあらわれ方（相(フェイズ)といってもいいでし

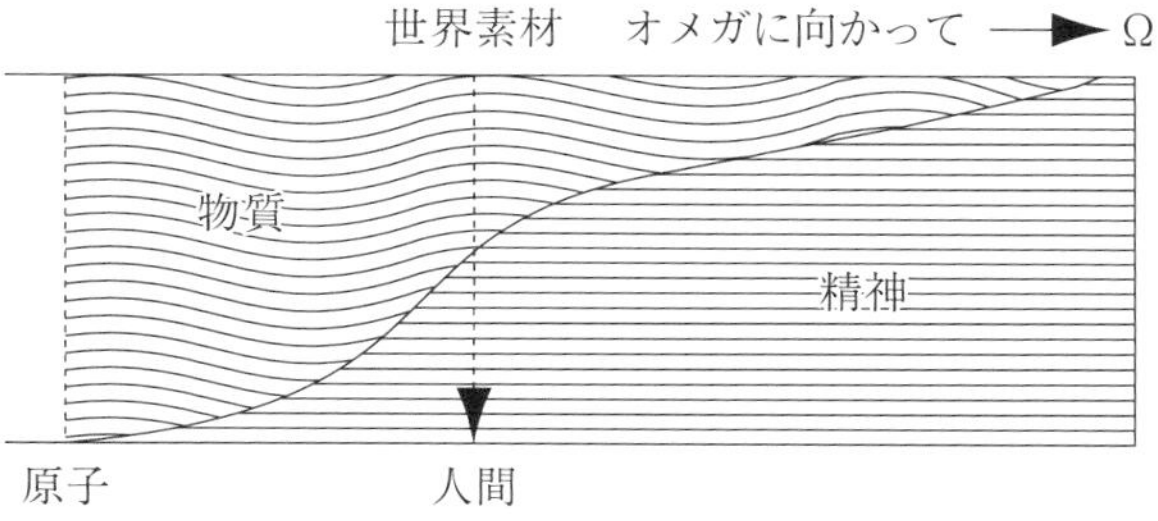

世界素材　オメガに向かって ──► Ω

物質

精神

原子　　人間

図8

ょう）にすぎないということになります。複雑性の度合いに応じて世界素材はいつでも少しずつ意識化しつつあり、それがある臨界点（b点）を超えたときに、思惟能力（内省的意識）となってあらわれるというわけです。

ヒトの進化はヒト以上の何ものかを生み出す

　これをもっとわかりやすく示すのが、図8です。この全体が「宇宙生成→生命生成→精神生成」のひとつづきの流れです。世界素材の複雑化が臨界点を突破するごとに、世界は新しい上部構造を生み、それがより下部の構造を包む形で多層化していきます。物質圏を生命圏が包み、それをさらに精神圏（ヌースフィア）が包むという構造です。

　図6では、a点までが物質圏の時代、a点からb点までが生命圏がその上に乗った時代で、b点の先にあるのがさらにその上に精神圏（ヌースフィア）が乗った時代ということになり

ます。

　ヒトが誕生し、精神圏（ヌースフィア）が生まれたところで、進化はストップするかといえば、そんなことはありません。進化はいまもつづいているし、これからもつづくんです。それが、以下でテイヤール・ド・シャルダンがいっていることです。

「歴史の途上、文明の作用のもとで、人類がなおしばしの間歩んできたことが示されているのに、今、個体化に到達したこの段階において、なお、人類はまったく停止しているのだと考えねばならぬ理由があるのだろうか？（中略）地球がわれわれの見る人間においてそして人間とともについにその生物学的潜在力の底をついたのだという、たえずくりかえされる伝説と、今やきっぱり絶縁すべき時点に到達したのだということである。（中略）地球上の生命の進化は、その古くからの形式にしたがってわれわれの中に持続する手段を見出したばかりでなく、何回でも新たに発進できる多段ロケットのように、根本的に新しいメカニズムと浸透力にしたがって、われわれの眼前で再燃しようとしているのだということを示している。

　この点が肝腎である。それを正しく理解することに努めよう」（同前）

　本人が、「この点が肝腎である」といっているように、ここのところに、テイヤール・ド・シャルダンの思想の真骨頂があるんです。つまり、人類進化はこれからさらに一段と進むだろうということです。新しい進化メカニズムを得て、人類進化の二段目のロケットが点火されるだろうということです。

一九四二年に北京で行った「宇宙におけるヒトの位置」と題する講演の中で、彼はこう述べています。

「（図6と同じものを示して）現在ヒトの所で終わっているこの曲線は、まだこれ以上伸びる可能性をもっていると考えてよいのでしょうか。もしそうだとすれば、どう伸びて行くのでしょうか。今のところヒトは、宇宙におけるひとつの〈クライマクス〉であり、自らの強い精神性によって事物における意識の上昇の現実性を確証し、その方向を指示している点で、宇宙における先枝でもあります。しかしヒトは、彼自身よりもさらに複雑でさらに中心化された何ものかを生みだすことになる芽でもあるのではないでしょうか」（『宇宙におけるヒトの位置』山口敏訳〈著作集第六巻〉）

ヒト進化はヒト以上の何ものかを生み出す可能性を秘めているというのです。（図6を示して）この線がさらにb点の先にどんどんのびていっているわけですね。Y軸の物理的スケールのほうは人間のところで止まっている。しかしX軸の複雑性のほうはどんどんのびていっているわけです。しかし、このX軸の尺度はそれを構成する粒子（この場合は原子）の数でしかあらわされていませんから、複雑性の度合いとしては十分でない。複雑性の度が進むにつれて、複雑性の尺度はその構成要素の数によってではなく、構成要素の間の結合の数とその密接度によってはかられるようになるからです。分子の複雑性はそれを構成する原子の数によってのみはかられるべきではなく、原子の間の結合の複雑さによってはかられるべきだということです。

しかし、意識を持ちはじめた生物、特にその意識が普通の生物よりはるかに高次なものになったヒトにおいては、それだけでは十分でありません。その意識を担っている器官（脳）を構成する単位（ニューロン）の間の結合の複雑さこそ、新しい複雑性の尺度と考えるべきだといいます。

「もし、生物体の中に、その生物の精神的発達ととくに密接に結合した部分（器官）がたまたまあるとすれば、その部分の、そしてその部分のみの複雑性こそ（その他の部分のは測定を混乱させるだけだ！）、その生物が到達している小体化の程度を評価するのに用いうる、そして用いねばならぬものである」（『自然における人間の位置』）

ここで、「小体化（corpusculisation）」というテイヤール・ド・シャルダン独特の用語が用いられていますが、これは翻訳が疑問です。小体化というのは、彼が複雑性の度合いを示すものとして導入した概念で、どのようなものでも、その複雑性が増していくと、そこにはより微小なエレメントの間の相互作用が生まれる。そのことによる要素間の組み合わせの数が増していき、やがてそれは一つの閉じた一定の大きさの全体を作り上げる。それがより高次な形の集団を形成すると、一定の自律性が獲得されるという現象が起きるというわけです。進化の過程で起きる、複雑化という現象の正体は、これなんだということです。そして、高次の集団が獲得する自律性の延長の上に意識が生まれていくわけです。進化の根本法則である「複雑化＝意識の法則」とは、こういう意味において小体化の法則でもあるというわけです。しかし、これを本当は「小体化」というのはおかしいのであって、むしろ、「小体複合化」といったほうが意味的には正しいでしょう。同様に、彼は「複雑化＝意識」の進化の流れを示すものとして、「小体化の曲線」ということばを使うのですが、そのとき彼が意味しているのは、図6のこのカーブそのものなんです。ここでも、「小体複合化」の曲線といったほうが正しいんです。以下、小体化という訳語を小体複合化といいかえることにします。小体化というと、どんどんエレメントが小さくなることを意味するようですが、力点はそこに置かれるのではなく、それによって複合化＝複雑性が増していくというところにあるのです。ですから、小体化のベクトルは、b点からその先に向かって、より複雑性を増す方向に向いているのです。

「脳化」こそ人類進化の導きの糸

ところで、ここで複雑性の尺度を原子の数においていることについて、テイヤール・ド・シャルダンはこういっています。

「これは現実というより多分に想像上のものである。なぜなら、分子以上になると、そのものを構成する要素（中略）の数も、これら要素ないし要素のグループの間にある結合の数も、（中略）たちまち計算不能になるからである」（同前）

小体化を小体複合化と読みかえてみると、先の引用がよくわかります。

「その生物の精神的発達ととくに密接に結合した器官の、その部分の複雑性こそ、その生物が到達している小体複合化の程度を正しく評価する尺度である」

テイヤール・ド・シャルダンはつづけてこういっています。

「私は、『神経系』こそこの部分なのだと思う。

神経系の変化、——より正確にいえば、神経系のうちで脳となっている部分の変化、あるいはもっと簡単に一語にしていうならば『脳化』(céphalisation)、これこそわれわれの必要とする導きの糸なのだ!」(同前)

ここでテイヤール・ド・シャルダンがいっているようなことは、いま人類進化を考える上での常識になっています。テイヤール・ド・シャルダンの時代は、彼自身が北京原人の発掘にたずさわった人であるということからもわかるように、まだ初期人類進化を考える手がかりになるような化石材料に乏しかった時代で、動物の脳進化を示す資料も乏しく、こういい切ってしまうことは、かなり大胆なことだったんですが、彼の死後、原始人類の化石が次々に発見され、また動物の脳の研究も進んだ結果、ヒト化の歴史は脳進化の歴史であるという見解は、いま当然のこととされています。

(大脳化指数のグラフを示して)生物進化を、脳化、特に大脳化という視点から見るところなります。生物の系統進化の古いものから脳の重さをくらべると、見事にパラレルになっていることがわかります。脳の重さは体重によって変わりますから、このグラフは体重で補正してあります。尺度は対数で表示されています。体重で補正して、指数表示でみると、系統進化の古いものからヒトにいたるまでほぼ直線的な流れの上に乗っており、なるほど進化は脳進化なのだということがわかります。対数で八ちがうということは、一億倍くらいちがうということです。こういう指数の算出方法はいくつかの種類があって、ステファンとアンディがやった脳の部位別の比較(2)では、大脳新皮質のちがいがとりわけ大きく、指数にして一九六のちがいなどという、ほとんど天文学的なちがいが出ることが示されています。

しかし、こういう脳化指数、大脳化指数というのは、基本的に脳容積に脳実質の密度をかけて脳重をはじき出すという方式を使っていますが、それが本当の意味での脳の複雑化の指標になるかといったら、ならないことは明らかです。脳の真の複雑性は、脳のエレメントであるニューロンの結合の密度にあるからです。テイヤール・ド・シャルダンもこういっています。

「ある動物の骨格や筋肉系に含まれる分子の数はどうでもよい。脳の全容積も(ある点までは)あまり重要ではない。高等動物の絶対的分類において最終的に問題となる唯一のものは、その脳のニューロン(中略)の(数に加えて)構造と機能的配列(アジャンスマン)における完成度なのである」(同前)

その通りなのですが、では、そのようなニューロンの機能的配列の質の高さ（完成度）を調べる方法があるか、それを数量的に表現する方法があるかといったら、ありません。ともかくそれは、あまりに複雑すぎて、計算しようにもすぐに計算爆発を起こしてしまって、計算のしようがないほどのレベルのちがいだというほかないでしょう。

もし、何らかの数量的表現が可能なら、図6でもう一本軸を立てて（すでにX軸、Y軸があるから、三次元表示でもするほかありませんが）、複雑性の質の高さを表現するとよいのです。それをすれば、恐らく、ヒトの脳の複雑性がいかに際立っているかが表現できたにちがいありません。そういうものがないので、図6では、ヒトの脳の複雑性の表現がいまひとつで、インパクトがありません。とりわけ、b点を超えたあとの精神圏（ヌースフィア）の発展がどうなるのか、さっぱり見えてきません。その点、図8のほうは、そこがわ

（2）H・ステファンとO・J・アンディによる霊長類の脳の比較研究。脳の各部位を電気的・化学的に刺激して、攻撃行動を引き起こす部位を調べ、原猿類などに特徴的な中脳（中脳・間脳）への刺激がもっとも攻撃的行動を引き起こしやすく、ヒトに特徴的な新皮質は攻撃を抑制することを発見した。

かりやすく表現されています。複雑化がどんどん進むと、世界素材のほとんどが精神生成のために使われるようになり、世界は基本的に精神圏(ヌースフィア)で生起する事象が中心ということになっていくということです。その極限が「オメガ点」として表現されているわけです。

「精神圏(ヌースフィア)」とは何か

このオメガ点というものをめぐって、テイヤール・ド・シャルダンの通俗の解説書では、世界はどんどん精神的なものになっていき、ついにその究極として、世界の完全な精神化が達成されたとき、そこにキリストが再臨して、世界の終末となる、などとしているものもあります。オメガ・ポイントはキリスト再臨の時を示すものだというわけです。

確かに、テイヤール・ド・シャルダンはイエズス会の修道士で、強い信仰を持ち、独特のキリスト論を持つ人なのですが、彼の(未来)進化論は、そう単純なものではありません。そもそも、信仰を持っていたとして、安易に信仰上の議論と進化論を結びつけるようなことをする人ではありません。テイヤール・ド・シャルダンは、あるとき自分が何者であるか自問自答して、「わたしは哲学者でも神学者でもない。〈現象〉の研究者、古代ギリシア時代に使われた意味での自然学者である」といったと伝えられますが（トレモンタン『ティヤール・ド・シャルダン』美田稔訳、新潮社）、この場合、自然学者というのは、現代風の表現を使えば、サイエンティストということです。実際、進化論を論じるときは、彼はあくまでサイエンティストの枠内で論じ、その枠を踏み外そうとはしません。

では、実際のところ、彼はオメガ点ということばで何を意味しようとしていたのか、そこのところを正しく理解してもらうためには、まず、彼が精神圏（ヌースフィア）ということばで何を意味していたのかを正しく知る必要があります。

精神圏（ヌースフィア）というのは、人間のあらゆる精神活動が綜合されて形成される全体をいうものであって、それは社会化という現象とわかちがたく結びついています。それまでの進化は個体レベルの変化についてしか語っていなかったのに、ここでは人間社会全体の活動が問題にされているのです。もちろん、動物の世界でも、社会化という現象が見られます。多数の個体が共生的に結びついたグループを作り、超個体的な複合体として生活していくということがあります。しかし、人間が作る社会と決定的にちがうところがあります。それは社会化の半径の大きさです。人間という種の最大の特徴の一つは社会化することにあり、その社会化のスケールが他の動物社会とは全くちがうというところにあります。人間以外でも、よく社会化する動物としては、昆虫やサルがあります。

しかし、「思考前のレベル（とくに昆虫の場合）では、社会化の半径は、たとえ社会化がどれほど進んでいてもつねにきわめて小さく、たとえば家庭的グループ以上に達することはけっしてない」のです。「したがって、人間の出現とともに、動物学にとって一つの新しい章が開けたのである。すなわち、生命の歴史においてはじめて、それは何枚かの孤立した葉ではなく、一つの系列（フィルム）、遍在する一つの系列全体が、一挙にそして一丸となって、全体化してゆく様子を見せるのである。人間は単に一つの種として出現した。けれど、人種的‐社会的合一のはたらきによって、この地球の特異的に新しい被覆の地位に高められていった。それは一つの門以上、いや界以上のものにすらなった。それはまさに一つの《圏》(sphère)――生物圏と同じ広がりをもってその上をおおう（しかし、それよりはるかによく結合し、かつ均一であることか！）『精神圏』（あるいは思考する圏）に他ならないのだ」（「精神圏の形成」『人間の未来』〈著作集第七巻〉）

ここのところは、動物の分類に関する知識がないと、よくわからないでしょう。

そもそも生物は、まず、植物界と動物界の二つの界(kingdom)にわけられます(最近では、それに原生生物界、菌類界などが加えられるようになっています)。その下が門(division または phylum)です。門の下に綱(class)、目(order)、科(family)、属(genus)、種(species)、という下位の分類カテゴリがつづくわけです。

ヒトの場合だと、動物界、脊椎動物門、哺乳綱、霊長目、ヒト科、ヒト属、ホモ・サピエンス種となるわけです。ヒト科には、ヒト属以外にアウストラロピテクスなどの猿人類がならび、ヒト属には、ホモ・エレクトゥス、北京原人などの原人類がならぶわけです。そして、ホモ・サピエンスという種には、ホモ・サピエンス・サピエンスと、ホモ・サピエンス・ネアンデルタレンシスがならんでいるという形になるわけです。

テイヤール・ド・シャルダンは、このような分類学上の区分は誤りだというわけです。現生のヒトは動物の中で最も特異な、最も大きな広がりを持った種属になった。それは科、属、種といった下位の分類概念をあてはめて考えるべき存在ではなく、門、界といった上位の分類概念でもまだ十分ではない。それ以上の分類概念として、「圏（スフィア）」が考えられるべきだ。そして、人間の一番の特徴である思考する能力から、それを「精神圏（ヌースフィア）」と名づけるべきだということなんです。

鱗状の人類の系列

人間という種族の出現は、生物進化の中で突然変異的にあらわれた大異変である。それはこれまでの進化史上のできごととは全くちがう特異現象中の特異現象であるといいます。

「第三紀の終わり以来地球の進化の主要な力が人間に集中された（中略）。鮮新世以来、生命がその残った活力の最良のものを人間に（一本の木がその先端に対するように）集中してきたこと——この明白な証拠は逃れるべくもない！　この二〇〇万年の間には、多くの動物が姿を消したけれど、ヒト科以外には自然界で何一つ新しい存在は生まれてこなかった」（同前）

地質年代でいうと、約六六〇〇万年前に恐竜の時代であった中生代が終わり、哺乳類の時代である新生代がはじまります。新生代は約二〇〇〇万年前を境に第三紀と第四紀にわかれます。霊長類の進化がさかんになるのは第三紀の半ば以後で、第三紀の終わりの鮮新世（約五〇〇万年前～二〇〇万年前）に、ヒトの祖先はチンパンジーなどの類人猿の祖先とわかれて、独自の進化をはじめるわけです。そして、ヒト科が成立し、アウストラロピテクスなどの猿人類が生まれるわけですが、ヒト属（ホモ属）がアウストラロピテクスなどとわかれて独自の進化をはじめるのが約二〇〇万年前で、それからの二〇〇万年間に、ヒトは驚くほど急速な進化をとげるわけです。その進化の速さは本当に驚くべきもので、これほど短期間にこれほど多くの分化をとげた動物は他にありません。

脳の容積にしても、アウストラロピテクスの五〇〇cc前後から、ホモ・エレクトゥスの九〇〇cc前後、ホモ・サピエンスの一三〇〇ccと飛躍的に大きくなっていき、それとともに、その精神活動も質的な転換をとげていきます。ヒト以前の動物にも、意識があり、精神活動がありますが、それは基本的に本能の一言で総括されるものでしかありません。しかし、ヒトになると、「意識の爆発」といっていいほど、精神機能が向上し、本当の思考がはじまります。予見と創意といったことが可能になり、それによって他の動物とは全くちがう生活様式、行動様式が生まれます。社会化の半径が家族から部族や国家に広がり、ついには種全体にまで広がるというヒトだけに起きた現象も、この意識の爆発によってもたらされたものです。それはもう、それまでの意識とちがう、「第二次の意識」といってもいいようなものだとテイヤール・ド・シャルダンはいいます。

その他、ヒトの時代になって起きた特別のこととして、テイヤール・ド・シャルダンは、

「(1)異常な膨張力
(2)分化の途方もない速度
(3)系列（鱗葉）を生みだす能力の意外な持続性
(4)生命の歴史ではまだ知られていなかった、同じ系列束（フェッソー）（faisceau）に属する枝の間の相互結合の能力」

の四つをあげています。このうちの、(1)と(2)は、いま述べたような、ヒト科、ヒト属の時代になってからの驚くほどの進化のスピードアップと、それによって生まれた新しい種族が世界各地に広がり、ついには全地球的に広がっていったことを指します。

(3)を理解するためには、進化の一般則を知っておく必要があります。まず進化は系

列を作ります。変化したものがまた変化し、変化の上に変化が積み重なっていくので、変化へ系列化せざるをえません。次にその変化の幅がふくらんだり狭くなったりします。これを放散（divergence）と、収斂（convergence）といいます。放散は分枝とも分岐ともいい、種が多様に分化して枝分かれしていく過程です。収斂はその逆で、多様なものが似たものにまとまっていく過程です。進化現象というのは、だいたいこの二つが交互に起きます。一直線の変化というのは起きません。放散が起こるときは、変化は、右に左にゆれ動きながら、ときに広がり、ときに収斂して系列化していくので、一定期間の変異をトレースしてみると鱗状になります。これが(3)にいう鱗葉です。松かさや、アーティチョーク[3]、あるいは玉ネギの鱗葉のように見えるからです。

「生命というものはきわめて長い間にわたって、正確に同じ方向には伸びてゆくことはできないものらしい。右に一歩、左に一歩というぐあいだ。葉脈のように、あるいは松かさの《鱗葉（エカーユ）》のように、扇状に広がってゆくのだが、それが訂正され、補正

（3）大型のアザミに似た地中海域原産のキク科の多年草。和名はチョウセンアザミ。

されて、全体としては連続的な印象を与えているのである。（中略）時間の経過の中で現われてきた生物たちは、一つがもう一つの直接の延長であるというよりは、むしろ鱗のような形で重なりあっている」（同前）

それが典型的にあらわれているのが、図9に示したホモ・サピエンスの誕生以前に生まれては消えていった原始人類たちです。P.H. のアウストラロピテクス、C_1C_2 にピテカントロプス、P.S. のネアンデルタール人など、これらの原始人類たちはみな歴史の闇の中から浮かび上がっては消え、浮かび上がっては消えしていったのです。ここには、テイヤール・ド・シャルダンの時代に知られていた限りの原始人類しか書き入れられていませんが、このあともっと多くの原始人類の化石が発見され、この図はもっと松かさやアーティチョークに似てきます。そして、はじめは現れては消えるだけだった原始人類の中から、やがてホモ・サピエンスが登場して、途中で消えずに今日までつづくヒト属の系列がスタートするのです。

ホモ・サピエンスが登場すると、はじめはちょっと放散しはじめるのですが、途中から収斂に転じます。

図9では、アウストラロピテクスは人間以前の存在（P.H.）ということにされていま

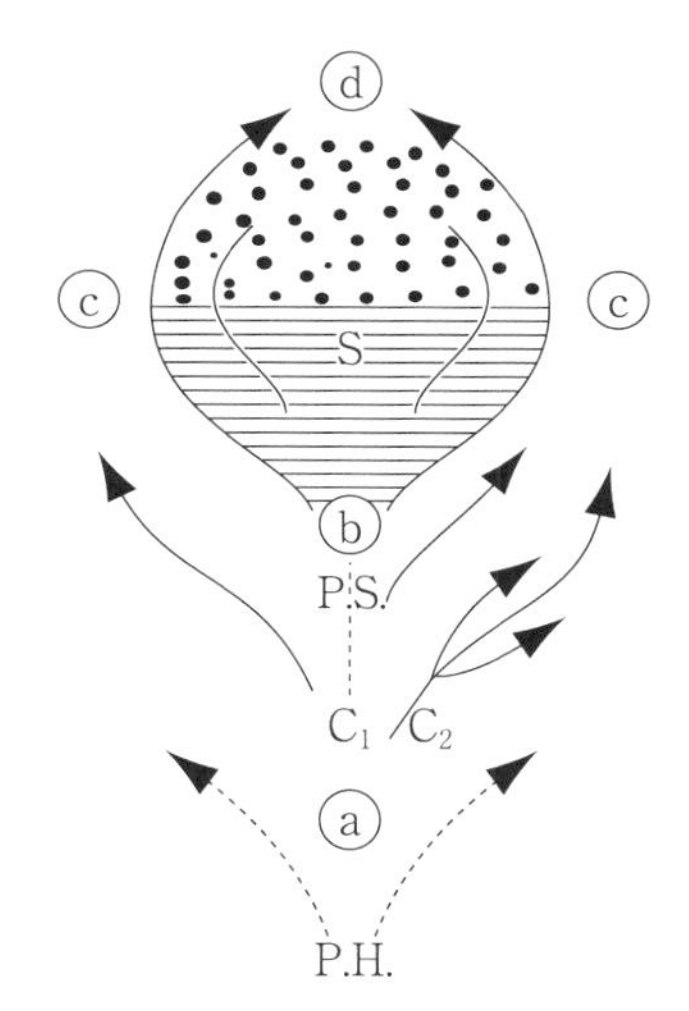

図9　人類という「門」の歴史と構造を示す図

P.H.　——前－人間（アウストラロピテクスなど）
P.S.　——前－サピエンス型の人間（ピテカントロポイド、ネアンデルタロイド……）
S　——ホモ・サピエンス
a　——最初の内省の生まれる臨界点（人間化の始まり）
b　——ホモ・サピエンスによる共同思考の決定的な現出
c　——共同思考の段階にある人類の、進化の拡散的様相から凝縮的様相への移行（現在の状況）
d　——超－内省が到達するものと考えられる（拡大適用によって類推）臨界点（オメガ点）
C_1C_2　——アフリカおよび南アジアにおける人間化の焦点（C_2はピテカントロプスにおいて行きづまった）

す。この辺は議論がわかれるところでしょうが、もともとアウストラロピテクスというのは、南方のサルという意味だし、脳の容積にしても、チンパンジーよりほんのちょっと大きいだけだから、思惟といえるような思惟（内省的思考）はしていないだろうということで、ヒトの系列の外においたのでしょう。人間化のはじまりは、内省的思考のはじまりにおかれていて、それはアウストラロピテクスとピテカントロプスの間の《a点》におかれています。もちろんこれは、はっきりそこだとわかっているわけではありません。

共同の始まりという転換点

次の大きな転換点が《b点》です。ここで、ホモ・サピエンスの集団の中で共同思考がはじまります。一つの問題をいっしょに考え、いっしょに解決にあたるということがはじまるわけです。それを可能にしたのは言語の獲得でしょう。言語と共同思考といっしょに共同作業、分業、相互扶助がはじまったと考えられます。それはとりも直さず、共同体の成立、社会生活のはじまりでもあったわけです。

これが人類史における最大の転換点になるわけです。それまでは、ヒト属の中に多少異質のグループが生まれることがあっても、そのグループは社会化の半径が小さな閉じたグループにとどまって、いずれ消滅していったのです。しかし、共同思考、共同作業を基盤にした共同生活体が形成されると、共同生活そのものがグループのメンバーを内側に引きとめる求心力として働いて、簡単にはグループが放散（解体）しないようになります。

それは人間集団力学における逆エントロピーのようなものです。人間集団というのは、放っておけば自然に解体の方向に向かう傾き（エントロピー）を持っているものですが、常に逆方向に働いている求心力があれば、それが逆エントロピーとなって、グループの秩序を維持し、その結合をさらに強固なものにするように働きはじめます。つまり、放散から収斂へとベクトルの転換が起こるわけです。それがこの図9では、《c—c》のラインで示されているわけです。

より正確にいえば、《b点》ですでにベクトルの転換が起こり、それ以前の初期人類集団のように、放っておいても解体して消えていくということはないという程度の消極的収斂が起きます。しかし、それだけでも大変なことで、ここではじめて持続的に共同体生活を維持していくことができる集団として、ホモ・サピエンス社会が成立し、時代はヒト以前の時代から、ヒトの時代へと大転換するわけです。

その集団内部で働いていた求心力は、メンバー間の結合を強め、それがまた凝集力として働くという形で、求心力がどんどん強くなったわけです。すると、収斂のベクトルがより強く働き出し、収斂は、放散を防ぐという消極的なものから、より高度の、収斂それ自体を目的として求めるという積極的なものに変わっていきます。すると、集団全体の収斂がさらに進みはじめる。その転換点が図で《c—c》のラインで示されているわけです。

このように、放散（ダイヴァージャンス）と収斂（コンヴァージャンス）が交互に起こり、そのうち、その両者の間から全く新しい現象が飛び出してくることを、進化論では創発（エマージャンス）といいます。

これを、テイヤール・ド・シャルダンは「進化の弁証法」と呼びます。かつてヘーゲル[4]は、世界はすべて、テーゼ、アンチテーゼ、ジンテーゼ[5]という形で弁証法的に展開していくといったわけですが、それは正しくないといいます。全宇宙と万物は進化の過程にあるのだから、世界はすべてこの進化の弁証法で見ていくほうが正しく見えるとテイヤール・ド・シャルダンはいうのです。図9のような過程全体が、まさにこの進化の弁証法的世界展開そのものになるわけです。

さて、収斂というプロセスが消極的なものから積極的なものに転換するとどうなるでしょう。初期人類社会では、それぞれ別のグループとして成立して、しばらくすると消滅していたような異質なグループも、消滅しないで残るようになります。生き残って一つの系列を作るようになります。するとホモ・サピエンス全体という大社会は、幾つもの異質な系列が束となってひとまとまりになった社会だということになります。これが(4)の系列束というものです。そして、系列束でできた枝同士がまた相互結合を深めるというような形で、ホモ・サピエンス大社会はどんどん結合を密接にしながらより一体化を高める方向に収斂していったというのが(4)でいっていることです。

(4) Georg Wilhelm Friedrich Hegel(一七七〇～一八三一) 近代ドイツ最大の哲学者。ドイツ観念論を集大成したともいわれる。さらに、ドイツ観念論の限界を超えて、社会的現実における人間の学へと一歩を進め、フォイエルバッハ、マルクスに大きな影響を与えた。

(5) ある主張、命題を「テーゼ」、それに対立する命題を「アンチテーゼ」、テーゼとアンチテーゼを高次の概念によって統一し、矛盾を解決する命題を「ジンテーゼ」という。

「オメガ点」とは何か

それがさらに進めばどうなるか。オメガ点への収斂が起きます。

収斂というものは、そもそも収斂が向かう一点があるから起きる現象であって、それがはじめから明示された点として存在していなくても、収斂過程が進んでいくと、その一点が自然に見えてきます。収斂運動それ自体が目標の一点を作り出していくわけです。それが図9で《d点》で示されるオメガ点だというわけです。

オメガ点とは何か。それを神というなら神ということもできる、とテイヤール・ド・シャルダンはいいます。しかし、それは、世界のはるか上のほうにいて、すべてを見そなわしている超越神ではない。時間の外に立っている永遠なる神でもない。猛スピードで動いている世界の外にあって静止している神でもない。

それはむしろ前方にいる（時間的にという意味ですが）神だといいます。

前方からこの世界全体を引き寄せる形で全宇宙の進化をもたらしている、進化をつかさどる神だというわけです。進化をつかさどる神だから、それは時間の中にいる。全宇宙、全世界が進化しつつあるのだから、それに合わせて、神の側も進化しつつづけなければならない。だからそれは自ら進化する神でもある、進化してやまぬ神である、とテイヤール・ド・シャルダンはいいます。彼の神概念は、伝統的なキリスト教の神概念とはぜんぜんちがうのです。

結局、精神圏（ヌースフィア）というのは、人類全体の共同思考だということです。ここでは、個体レベルの人間進化の話はおいて、人類全体のレベルの話になります。問題は人間から人類に移ったのです。人間のレベルでいえば、二万年前から人間の肉体も脳の構造も変化していません。しかし、人類というレベルになると、とてつもなく大きな進化が現に進行中だというのです。

第八章　進化論とキリスト教の「調和」

カトリックにとって進化論とはどういうものか

こうして見てくると、テイヤール・ド・シャルダンの進化思想は、アダムとイブの話のような神話とは無縁であることがわかります。

アダムとイブなんていうと、あんなもの神話にきまってるじゃないかと思うかもしれませんが、信者になるとちがいます。キリスト教の中でも、プロテスタントの中の近代主義的諸教派は、神話を排除した教理を作り上げていますから、神話をそのまま信じているということはありません。しかし、プロテスタントの中でもファンダメンタリストといわれる教派は聖書に書かれていることはそのまま信じるという立場だから、天地創造[1]の神話も、アダムとイブの神話もそのまま信じてるんです。だから、進化論なんてとんでもないという立場です。プロテスタントにはたくさんの教派があって、全部知っている人など誰もいないくらい分裂してるんですが、その最大の教派、南部バプティストが典型的なファンダメンタリストです。

アメリカでは人口の大半がキリスト教徒で、次いで多いのはユダヤ教徒です。キリスト教徒の中では半分以上がプロテスタントなんですが、キリスト教は四分五裂しているから、一つの教派で最大なのはカトリックなんです。そのカトリックがやっぱり進化論を信じていなかったんです。最近それに関して法王庁の基本的見解が変わったんですが、それについては後で述べます。

世界全体でいうと、キリスト教が一八億人の信者をかかえて世界最大の宗教になっていますが、そのうち一〇億人がカトリックです。プロテスタントは全部合わせても三億七〇〇〇万人で、単一教派ではカトリックが圧倒的です。ついでにいっておけば、他の宗教でそれに次いで多いのがイスラムで九億七〇〇〇万人、次がヒンズーで七億三〇〇〇万人います。

前にもいったように、そのカトリック教会が、一九五〇年に「Humani generis（人間の起源）」という回勅を出して、進化論を否定したわけです。といっても、進化論を全部否定したわけじゃないんです。人間の物質的起源を問題にして、人間の肉体がそ

（1）『旧約聖書』によると、神は混沌から、光と闇、水と天、陸と植物、太陽と月と星、魚と鳥、獣と人間（アダムとイブ）を六日間でつくり、七日目は安息の日としたという。この天地創造の神話は近代に至るまで、キリスト教・ユダヤ教的世界観の基本をなした。

のときすでに存在していた物質からできたという限りにおいては教会は進化論を禁じないが、人間の霊魂が神によって創られたということはキリスト教信仰の核心だから、その解釈は教会にゆだねられる、つまり信者は法王庁と異なる解釈をしてはならないというわけです。

ここで霊魂というのは、英語ではスピリットです。ラテン語ではスピリトゥス、ギリシア語ではプネウマ、ヘブライ語でルアハ。どれももともとは息という意味です。これは、旧約聖書のアダムの創造のところから来ています。創世記第二章七節の「主なる神は土のちりで人を造り、命の息をその鼻に吹きいれられた」というところですね。ヘブライ語で人間はアダムで、これもともとアダマ（土）から来ています。神が土に息（ルアハ）を吹き入れたら、土が生きた人間になったというわけです。人間にはそれ以来、神の息が内部にあり、それが人間を生かしている、それが霊魂（スピリット）だというわけです。

日本語の霊魂にはもともとこういうニュアンスが全くないので、日本人にはスピリットというものがよく理解できないんです。たとえば、キリスト教の根本教義の一つに三位一体というのがありますね。父なる神、子なる神、聖霊なる神の三者が一体だということなんですが、あれで日本人にいちばんわからないのが、聖霊なる神というやつでしょう。あれは英語では、"Holy Spirit" で、つまりは神様の息なんです。人間と人間の息がわかちがたく一つに結びついているように、神様と神様の息がわかちがたく結びついているということが父なる神と聖霊なる神の一体性です。つまりはアダムに吹き入れられた神の息と、聖霊は本質的に同じものなんです。人間はアダムにおいて神の息を吹き入れられて命ある存在となったのに、神を裏切った（食べてはならないといわれた知恵の木の実を食べた）が故にその命のもとを失い、死する存在となった。これがアダムとイブの神話のエッセンスですね。

それ以後の人間も、アダムとイブの犯した罪を原罪[2]として引きずっているから、死する存在である。しかし、イエス・キリストを信じ、その贖罪を信ずるなら、原罪（死すべき運命）から逃れて、永遠の生命に入ることができる。これがキリスト教の教義

（2）キリスト教神学の用語。『旧約聖書』創世記三章には、まずイブが蛇にそそのかされ、次にアダムがイブにそそのかされて禁じられた木の実を食べ、その結果神に罰せられて、あらゆる生の苦しみを持つに至ったと記されている。このため、アダムの子孫である人間は生まれながらに罪を背負うとされる。

のいちばん大事なところです。つまり、アダムとイブの神話は、キリスト教の教義のいちばん大切なところを支えている神話なんです。だから、この神話を否定するような進化論、ヒトが神の手で創造されたのではなく、独自の自然進化の延長上に誕生したというような主張は許されないとしたのが、「Humani generis」なんです。

すなわち、こういっています。

「『人類多元説』と呼ばれている説を信者が支持することは許されない。キリスト教信者は、アダムの後でこの地上に全人類の祖先であるアダムの子孫でない本当の人間が存在したとか、アダムという名は複数の人類の祖先を指すものであるという説を支持してはならない。なぜなら、このような説は、原罪について啓示された真理の源泉と教会の教導職が教えること、すなわち、ひとりのアダムの犯した罪が全人類に伝えられ、各個人に生まれつき内在しているという教えと決して調和しないからである」（『カトリック教会文書資料集』）

アダムとイブの神話が否定されると、原罪という考えも否定されてしまい、原罪がなくなると、キリストが何のために十字架にかかったのかもわからなくなってしまうわけです（原罪も原罪以外の罪も何もないキリストが十字架にかけられて死んだのは、そのことによって全人類の罪をあがなうためだったというのがキリスト教の根本教義)。

原罪は遺伝する?

この原罪というのもわかりにくい考えです。アダムとイブが罪を犯したとして、なんで全人類がその罪をになわなければならないのかと思うでしょう。そういう疑問は昔からあったんです。アダムとイブが罪を犯したというなら、そういう罪を犯しやすい存在として人間を創造した神の側にも問題があるのではないか、もともとそういう本性を持たされていたなら、すべての責任が人間にあるとはいえない、など、いろいろの議論があったんです。

原罪の問題以前に、そもそも罪とは何なのか、悪とは何なのか、悪をなす自由はどこから来るのか、人間の自由意志はどこまであるのか、罪の責任はどこまで問われるべきなのか、といった、神学的根本問題に関する議論がいろいろあって、それで教派がわかれてきた、というようなこともあるんです。特に人間の自由意志の問題をめぐっては、プロテスタントとカトリック教会の間で大議論があって、それが分裂の大きな理由の一つになったことはよく知られています。

一五四五年、時のローマ法王パウルス三世[3]は宗教改革に対応するため、トレント（トリエント）に公会議[4]を召集します。これはプロテスタントから教会に対して提起されたあらゆる批判と教義上の問題に対応するために開かれた歴史上最大の公会議です。プロテスタントももともとは教会に属していて、教会内部で反対の声をあげる（プロテストする）存在だったわけですから、この公会議に招かれていたのですが、公会議に出てもどうせ異端を宣告されて終わりだろうとわかっていたので出席しませんでした。そもそも公会議は、民主的に運営され、民主的に議論をつくして多数決でことを決するというような会議ではなく、最後は神の代理人たる法王が、ことを決することが制度的にも保障されている会議です。法王庁の教権そのものと対決しようとしているプロテスタントの主張が異端になることは目に見えていたわけです。また公会議に呼ばれているキリスト教世界全体の司祭の中で、プロテスタントはまだまだ少数派でしたから、たとえ公会議が民主的に運営され、民主的にことを決するようになっていたとしても、敗北することは必至でした。

　というわけで、この公会議は、プロテスタント欠席のまま開かれ、それによって、カトリックとプロテスタントの大分裂が決定的となった歴史的会議になるわけです。

この公会議は、教義上のあらゆる問題点を徹底的に討論したので、一八年間にわたって計二五回の総会が開かれ、その間に法王が三人も交代するという前代未聞の大公会議でした。結局、この公会議においてカトリックの基本的教義が固められ、今日にいたるも、それはあらかたそのままです。この公会議で教義上の問題はほとんど決着がついてしまったので、その後三百余年にわたって公会議は開かれていません。一九世紀後半に一回、二〇世紀半ばにもう一回公会議が開かれていますが、根本的教義が変更されるようなことは起きていません。ですから、根本的教義が問題になるようなことがあると、トレント公会議の決定を尊重しろというのがだいたい法王庁の見解に

---

(3) 一五三四〜四九年に在位したローマ教皇。トレント公会議を開催した。プロテスタントの主張に対して、ローマ・カトリックの教義を明らかにし、またカトリック教会の改革を具体化する重要な教令を決定した。

(4) 一五四五〜六三年、北イタリアのトレントで開かれた世界教会会議。当初の目的は新旧両教会の調停にあったが、プロテスタント側が出席を拒否したため、実際はカトリックの教議を確立するための場となった。この会議の決定は、第二次世界大戦後に至るまでローマ・カトリック教会の基本的要旨となった。

なります。

原罪の問題でもそうです。「Humani generis」がいっていることは、結局そういうことなんです。

トレント公会議が原罪の問題についてどういっているかというと、(『カトリック教会文書資料集』を示して) こうです。

「アダムの罪は起源が一つであり、模倣によってではなく、遺伝によって伝えられて、すべての人に一人一人固有のものとして内在するものである」

原罪は遺伝したというわけです。罪が遺伝するというのも変なもので、そうなると、現代的な遺伝の解釈では、原罪の遺伝子があるのかということになりますが、これはもちろん、大昔の大ざっぱな遺伝の観念に従ったものです。

そもそも原罪が遺伝したなんていうことをいい出したのは、四世紀のアウグスチヌス[5]なんです。罪がどういう風に遺伝するのかというと、両親が性交することによってであるとアウグスチヌスは説明しています。キリスト教社会では、アウグスチヌス以来、この教えがずっと受け継がれてきたので(プロテスタントもこの説に従いました)、性行為は罪深いことであるという根深い観念ができあがってしまったのです。

セックスで遺伝するということになると、人間はみんなセックスで生まれるわけですから、みんな原罪を持っているということになります。そして、キリストは罪なくして生まれたはずだから、セックスなしで生まれたはずだとして、聖母マリアの処女懐胎[6]神話が生まれるわけです。

しかし、そうなると、別の問題が生じます。聖母マリアには原罪があったのだろうか、聖母マリアの両親はセックスをしたのだろうかという問題です。

神様が神の子を生ませるために選んだ女性に罪があってはならないから、マリアも生まれたときから無原罪であったはずだという信仰が生まれて、聖母マリアの「無原罪懐胎（Immaculate Conception）」説が生まれます。美術が好きな人は、これが西洋絵画の主題によくなっていることを知っているはずです。これはマリアが生まれる前のこ

（5）Aurelius Augustinus（三五四〜四三〇）　古代キリスト教最大の教父にして神学者。マニ教、ドナトゥス派、ペラギウス主義との論争を通してカトリック教会の恩寵・礼典・教会概念などの確立に努め、中世以後の神学および政治思想の指標となった。

（6）キリストの誕生を、処女の超自然的な懐胎によるものとする信仰。イエスは精霊によって懐胎したので、原罪から逃れられていると説かれることが多い。

となんですが、死んだあとについても、聖母マリアが人間として死んで、その死体が腐敗したなどということは考えがたいことだから、マリアが死ぬ前に、キリストは彼女を肉体を持ったまま昇天させたにちがいないということで、「聖母被昇天(Assumption)」の伝説が生まれます。

どちらも、最初は伝説のままなんですが、これを正式の教義として認めてくれという請願が法王庁にたくさん届くようになり、前者は一九世紀の中ごろ、後者は二〇世紀の中ごろに公式の教義となります。

本当はもっと大きな問題があります。聖母マリアがイエスを生むときはセックスなしだったとしても、その後一生セックスをしなかったのか(罪を犯さなかったのか)という問題です。実をいうと、聖書の記述によると、そうではないと考えられます。「(夫ヨセフは、天使から妻の処女懐胎の事実を告げられたので、)子(イエス)が生まれるまで彼女を知ることはなかった」とあって、生まれるまではセックスしなかったが、その後はしたというニュアンスで書かれています。さらに、イエスには複数の兄弟がいたと書かれています。そうなると、その後はセックスした(罪を犯した)にちがいないのですが、熱心な信者はそこも何とかして、一生罪なしの生活を送ったことにしたいので、兄弟といわれる人が存在するのは、ヨセフは実は再婚者で、その連れ子だったのだといった話を作り上げていきます。しかし、これは公式の教義とはなっていません。

どうしたって、聖書の記述をそのまま丸ごと信じようとすると、いろんな矛盾が出てきてしまって、どうしようもなくなるんです。特に、神話の部分はそうです。中でも創世記のはじめの部分、たった六日間での天地創造とか、アダムとイブ、ノアの箱舟なんかのくだりですね。

科学と信仰の不一致は克服できるか

そこで、二〇世紀に入ると、カトリック教会の内部から、そういう神話的部分の神話性を合理化するような近代主義的解釈を許すべきではないかという声があがるようになります。創世記などは現実的な意味の歴史書ではなく、歴史以外のことを表現するために、一見歴史書に見せかけた本を書いたのだといった主張ですね。いろんな主張がありました。そういう主張をまとめて、「近代主義の誤謬」として全否定した「ラメンタビリ」(一九〇七)、あるいは「パッシェンディ」(一九〇七)という有名な回勅(7)

があり、そこに誤謬としてならべられた近代主義の説を読んでみると、我々にはそっちのほうがずっと合理的で、もっともらしい説のように思えるのですが、法王庁は、そういうものを片端から否定していったのです。

否定された主張には、たとえば、次のようなものがあります。

「聖書の正典が決定されるまで、福音書には追加や訂正が行われた」

「福音史家の記録の多くは、真実であることよりも、むしろ、たとえそれが偽りであっても読者にとって有益であると考えられたものであった」

「教会が教義として使用しているものは、天から与えられたものではなく、宗教上のできごとを人間が宗教的体験にもとづいて解釈したものにすぎない」

「福音書の中で『神の子』というのは『メシア』[8]という意味であって、決してキリストが本当の神の子であったという意味ではない」

「パウロ、ヨハネ、（中略）公会議のキリストについての教えは、キリストが教えたものではなく、キリスト教徒がイエズス（イエス・キリスト）について考え出したことである」

「救い主の復活は厳密な意味で歴史的事実ではなく、ただ単にキリスト教徒が他の事実から考え上げた超自然的な事件にすぎず、証明することもできないし、証明すべきでもない」

「キリストが罪のあがないのために死んだというのは福音の教えではなく、パウロの教えである」

「教会の有機的構造は不変のものではなく、キリスト教社会は人間社会と同じように絶えず進展するものである」

「真理は変わらないものではなく、人間と同じように人間とともに、人間の中において、人間を通じて発展する」

「人間の理性は種々の『現象』、すなわち眼に見えるままのものによって完全にとり囲まれていて、それ以上のことを知る能力も権利も持たない。したがって、人間理性

(7) Litterae encyclicae(ラテン語) カトリック教会用語で、ローマ教皇が司教を通じて信徒全体に伝える文書。カトリック社会思想の何たるかを知る直接資料として重要である。
(8) Messiah ヘブライ語マーシャハ(油を注ぐ)という動詞の名詞形マーシーァハ(油を注がれた者)に由来する語。救世主。ギリシア語ではクリストス(キリスト)と訳された。聖書的伝統によれば、神の介入によって変貌した歴史内世界に立てられる神の支配の代行者をいう。

は神に達することもない。神の存在を眼に見えるもの（被造物）を通して認識すること
さえもできない」
　ぼくなんか、こっちのほうがなるほどと思えるんですが、法王庁は、こういう思想
は伝統的教義を破壊する危険思想として片端から否認していきました。そういう流れ
の一環として、法王庁によるテイヤール・ド・シャルダンの思想の否認も行われたわ
けです。
　一方テイヤール・ド・シャルダンは古生物学者として、アダムとイブの神話など信
ずるわけにはいきませんでした。そして、それを信じないと、原罪の問題をめぐって
法王庁と衝突せざるをえないということもわかっていました。同時に衝突するとして
も、結局は科学が勝利をおさめることになるだろうと確信していました。
　一九三〇年に書いた「進化論をどう考えるべきか」という文章の中で、彼はこう書
いています。
「近代科学の考え方の中に、カトリックの思想をまだ（かなり強く）悩ますようなもの
があるとしても、ヒト（精神的存在）が動物から形成されたという考えは、決してこれ
には当たらない。それは、正しいと思われる進化論と厳密な人類一元論、すなわち

我々がすべてただ一組の男女から由来したという考え、を合理的に調和させることのむずかしさである。一方において教会は、哲学的でも聖書注釈学的でもなく本質的に神学的な（堕罪と贖罪に関する聖パウロ的な考えの）理由によって、アダムとイブの歴史的な事実性に固執している。他方において科学は、確率と比較解剖学の理由により、人類という巨大な建物に、たった二人の個体が土台となっているなどとは、（最も控えめに言っても）夢にも考えない。

現在、進化論問題に関して、科学と信仰との間に一時的な不一致がみられるのは、この点をめぐってである」（『過去のヴィジョン』山口敏訳〈著作集第六巻〉）

ここでテイヤール・ド・シャルダンは、教会がアダムとイブの神話に固執するのは、もっぱら神学的理由（パウロ的な考え）であるといっていますが、それは、原罪の理論は、結局のところ、ロマ書第五章一二節のパウロの言葉、「一人の人によって罪が世にはいり、また罪によって死が世にはいって、すべての人が罪を犯したので、死が皆の上に及んだ」から来ているということをいっているのです。トレントの公会議において公認された原罪の理論も、結局、このくだりを根拠にしています。しかし、このような神学的理由を根拠とする教会と科学の間の不一致は一時的なもので、いずれ解決されるだろうとテイヤール・ド・シャルダンは考えていました。
「解決とはどのようなものなのか。それに答えることはまだ不可能である。相対する二つの真理の断片は、まずそれが完全に明確にされないかぎり、決して合致することはないであろう。ヒトの起源の問題にしても、科学はまだまだ発見しなければならないことが多いし、カトリック教徒はまだまだ考えなければならないことが多い。ただ予想できることは、進化的な形での創造の科学的正当性を、教会が認めるようになり、精神と自由と（確率の低さ）のもっている力に対して、科学が世界の歴史的展開の中でますます大きな位置を与えるようになれば、人類一元論は、神学的な〈効能〉を何ら失うことなく、我々の科学的要求を完全に満たすような形を次第にとって行くであろう」（同前。傍点立花）

いずれ進化論が勝利をおさめるであろうことに圧倒的な自信を持っていたわけです。

このくだりでもう一つ注目すべきことは、テイヤール・ド・シャルダンが、進化を神の創造のもう一つの形であると考えていたということです（傍点部分）。神の天地創造は創世記の六日間で完了したわけではなく、その後も進化という形をとってずっと継続していたのだと考えれば、進化とキリスト教の教えの間に矛盾はなくなり、非神話化されることでより合理化され、より拡張された教えとなるわけです。

同じ文章の別のところでこういっています。

「科学は現在、ヒトを歴史的に他の動物とどう正確に結びつけたらよいのかについて、ためらっている。（中略）根本において、大部分の自然史学者の眼から見れば、ヒトは今までになく、（そしてますます）進化論の一般的な展望の中に巻きこまれつつある。ヒトの出現と他の大型類人猿の出現との時期的一致にしても、解剖学的な構造の細部にしても、（中略）化石の諸特徴にしても、いずれもヒトと他の霊長類との間にある歴史的な（中略）つながりを度外視しては合理的に説明できない。このことは、我々の動物学的な型を科学的に詳しく調べれば調べるほど、どうしても認めざるをえなくなる。（中略）

信仰者たちはしばしば、進化論によって開かれた我々の過去への展望に対して、先験的（ア・プリオリ）に反感を抱く。これは誤りである。哲学的に言って、キリスト教徒には、科学的進化主義のヒトへの拡張を原則として否定すべき何の理由もないし、またそのような拡張がいつの日か絶対的なものとなっても、何ら驚く理由もないはずである」（同

追放と発禁

　これを書いたころのテイヤール・ド・シャルダンが置かれていた状況についてちょっと説明しておくと、彼は一九二二年にパリのカトリック大学の教授になり、一九二三年から二四年にかけて中国に派遣され、古生物学的発掘に従事しました。一九二四年パリに戻り、一九二六年まで滞在。そのあと再び中国に渡って、発掘調査に従事します。

　この一九二四年から二六年にかけてのパリ滞在中に、テイヤール・ド・シャルダンは生涯最大の試錬に見まわれます。イエズス会当局から異端の疑いをかけられ、厳しく糾問されるのです。その間の詳細は明らかではありませんが、結局彼は、カトリック大学の教授職を追われ、ほとんど国外追放のような形で中国に渡るのです。純粋な学術論文以外の論文を発表することを禁じられ、かつ書いたものを対外的に発表するときには、すべて、イエズス会当局の検閲を受けることになります。実際、それ以来彼が書くものはほとんど一般に発表されることがなくなり、外部の人が彼の思想を知るのは、もっぱら友人たちに向けて書かれた書簡を通してのみということになります。テイヤール・ド・シャルダンは、イエズス会当局に自分の著作の刊行をずっと求めつづけるのですが、それに対して法王庁が与えた返答が、「Humani generis」の回勅だったみたいなものです。その回勅に反するテイヤール・ド・シャルダンの思想は、生前その発表を許されず、まとまった形で彼が書いたものが世に出るのは、死後（一九五六年から一〇年以上かけて）刊行された著作集を通してということになるのです。

テイヤール・ド・シャルダンが、そのような状況に落ち込むことなく（落ち込んだことは落ち込んだのでしょうがあまりそれを表面に出さず）、自分の仕事をつづけることができたのは、先の文章にあったように、いずれ教会の内部においても、自分の主張が通るようになるという内的確信のようなものがあったからだと考えられます。

そして実際、その通りになるのです。しかしそれは、彼の死後四〇年以上も経ってから、つまりつい最近のことなんです。

法王庁による教義の大転換

現在のローマ法王はヨハネ・パウロ二世[9]といって、一九七八年以来、もう二〇年以上もその座についている人ですが、この人が大変な人なんです。出身がポーランドで、イタリア人以外の法王が生まれたのは四五〇年ぶりといわれました。共産圏から法王が生まれたのは、もちろんはじめてのことです。これまでの法王が考えもしなかったことを次々にやってのけ、世界に大きな影響を与えてきました。

たとえば、一九八九年にはソ連のゴルバチョフ書記長と会見し、ロシア革命以来関係が全く途絶えていたどころか、敵対関係にあった社会主義圏との関係を修復しました。これが東西冷戦の終結に大きな影響を与えました。その一〇年前、一九七九年には法王就任後はじめてポーランドに里帰りし、熱狂的歓迎を受け（ポーランドは社会主義国にもかかわらず、国民の多くがカトリックの信者でした）、ポーランドではじまっていた労働組合運動を激励しました。これに刺激されて「連帯」が生まれ、ついには政権がひっくり返るにいたったのです。

ヨハネ・パウロ二世は、ユダヤ人との関係も改善し、法王としてははじめてイスラエルを訪問したり、第二次世界大戦のホロコーストを黙認したことを謝罪したりもしました。歴史的な法王庁の過ちも認め、九七年にフランスを訪問した後には、四〇〇年も前の、フランスで旧教徒が新教徒を大量に殺害した聖バルテルミーの大虐殺[10]を謝罪したりしています。最も有名なのは一七世紀に地動説で異端審問所から断罪されたガリレオ・ガリレイの名誉回復をしたことです。

こういう過去の過ちを認める流れの中で、九六年には、進化論を容認するという教義上の大転換を行ったのです。それは、九六年二月に開かれた法王庁科学アカデミー(11)における演説という形でなさ

(9) Johannes Paul II (一九二〇~二〇〇五) 第二六四代ローマ教皇。ポーランドに生まれ、ナチス占領下ではレジスタンスに参加。六七年に枢機卿となり、七八年に二六四代教皇に選出される。ハドリアヌス六世(一六世紀)以来の、非イタリア人教皇。ガリレオのコペルニクス地動説支持の有罪判決(一六三三)に対し、教会側の非を認め謝罪した。

(10) 一五七二年八月二四日、アンリ＝ド＝ナヴァールと王妹マルグリートの婚礼のために集まった新教徒に対して、摂政后カトリーヌ＝ド＝メディシスとギーズ公のおこなった大虐殺。コリニら新教徒首領の大部分が殺された。

(11) 一六〇三年にローマで設立されたアッカデーミア・デイ・リンチェイ(直訳は山猫学会。山猫のように鋭い眼を持つ学会を意図した)がその前身。一六一〇年にはガリレオ・ガリレイが入会。だが、一六三〇年、創立者フェデリコ・チェージの死によって学会活動は停滞し、一六五二年に終了。その後、一八四七年に、ローマ法王ピウス九世が再建し、その後、何度か名称を変えたが、一九四六年から法王庁科学アカデミーを名乗る。会員には、民族や宗教を問わず、顕著で独創的な業績を挙げた人が選ばれる。

れました。その演説の中で「Humani generis」の回勅以来、すでに五〇年近く経つが、その間になされた多くの関連領域の科学的発見によって、進化論はますます理論的確実性を増し、いまや単なる仮説以上のものとなったと認めることができるとしました。

「ここで大切なのは、進化論を構成する諸事実をどう解釈するかということである。法王庁がこの点において関心を持つのはそれと人間論のかかわりである」

といい、話をもっぱらそこにしぼっていきました。かつては、ここから話を原罪論に持っていき、原罪こそ人間存在の最も基本的な条件であり、そこからのキリストの死による救いということがキリスト教の教義の根幹なのだから、原罪の否定（＝アダムとイブの神話の否定）は許されないということで、進化論を否定するほうに話を持っていったのですが、今回はちがいました。

ではどのようにして、今度は進化論を肯定していったのかというと、前と反対の結論を導くのですから、当然前と反対の推論過程をたどることになります。要するに旧約聖書神話を捨て、神話の上に立論した原罪論を捨ててしまったのです。といっても、コレを捨てましたとはっきり宣言したわけではなく、これまでのようなそれに根拠を置く主張をやめてしまったということなのです。この演説それ自体は、綿密に理論構成され、あらゆる論点に過不足なく言及するという論文的なものではありませんでしたから、論旨はスカスカで、こちらでこれはこういう意味なのかといろいろ推論しなければならないものでした。ですから、ここではそれ以後出された進化論に言及した他の法王庁文書から読みとれることを含めた議論をしておきます。

たとえば、旧約神話は丸ごと捨てましたという話は、先の法王の演説の中には出てこないのですが、(『Catholic Almanac』を示して) このカトリック年鑑の用語集 (glossary) の「進化 (evolution)」というところを見るとはっきり書いてあるんです。このあたりですね。

「かつて、神学者たちは進化論を敵視していた。進化論は、創世記に書かれていることとは正反対のことをとなえ、天地創造の話も、創造された人間がはじめはエデンの園で幸せに暮らしていたのに、神に対する裏切りによって、そこから転落してしまったという堕罪神話も、みんなぶちこわしにしてしまうと考えたからである。そこから科学と宗教の間の対立がはじまり、両者の間で長期にわたって激しい論争がつづいた。しかし、一九世紀後半以後、聖書学の研究がすすむにつれて、宗教的真理と科学的真理の間には大きなちがいがあるということがわかってくる一方、進化論のほうもだんだん理論がととのってくるにつれて、両者の間の対立は小さなものになっていった。いま創世記の神話的記述に関するカトリック側の見解は次のようになっている。創世記の記述者は、客観的事実を科学的に記述しようと思って、創世記の天地創造の話などを書いたわけではない。記述者は、宗教的な真理をその当時の一般大衆にわかりやすい形で伝えようとしたコミュニケーターだった。だから一般大衆が理解しやすいように、擬人的文体を使って書いた。天地創造が、一日目に何がなされ、二日目に何がなされたと、一日単位の記述になっているのも、それと同じことで、そこに書かれている通り六日間で天地創造のすべてが進行したということではない。アダムとイブのエデンの園からの転落の話も、神の恩寵の世界から人間が転落し、やがてそれがキリストの恵みによって救済されるという宗教的真理を物語の形で伝えようとしたもので、客観的事実を伝えようとしたものではない。旧約聖書の記述者は、天地創造とそれにひきつづいて起こったことを科学的に伝えることを目的としたわけではなかったし、またもし、そんなことを考えたとしても、それは彼の手にあまることだったろう」

要するに、旧約聖書の神話は、旧約聖書が書かれた当時の同時代人に対して、ある宗教的真理を伝えんがために書かれたお話だったというわけです。

そんなことは信者以外の人には、当たり前といえば当たり前の話ですが、法王庁当局は、これまではそんなことはおくびにも出さなかったのです。カトリック内部の近代主義者たちが、これまで何度も何度も、ここに書かれているのと同じような主張をしてきたのに対して、法王庁は何度も、近代主義者の誤謬を正すとして、回勅などによって、それに反論し、神話を守ろうとしてきたわけです。

それが、法王自身から進化論容認の発言がなされると、たちまち手の平を返すようにして、近代主義者たちのこれまでの主張をそのまま取り入れてしまったわけです。

進化論と最も調和するのはキリスト教？

法王の演説に話を戻すと、進化論を容認するにあたって、最重要の一点だけはゆるがせにできないといいます。それは、ヒトの霊魂（スピリチュアル・ソウル）だけは神が直接に作ったということです。霊魂以外の肉体が、進化によって生命物質の発達によって自然にできたといっても、それは重要なことではないといいます。以下、おおむね次のようなことを主張しています。

《ヒトの本質は肉体ではなくて、霊魂の側にある。神は他の動物と区別してヒトだけを特別に作った。神の息を吹きこむことによって、霊魂を持つものとして作った。神はヒトを神に似せて（Imago Dei）作ったというのは、そういうことなのだ。そのような存在として作られたからこそ、ヒトはそれ自体として（per se）価値を持つ存在になった。ヒトは他人に従属して、他者の道具や手段として利用されてはならないといわれるのは、どの個人も、それ自体において価値を持っているからだ。ヒトが理性を持ち、意志を持つのも、ヒトが「Imago Dei」としてつくられたからだ。またそれ故にこそ、ヒトはヒトと愛しあい、共同体を作り、人格的人間関係を作るといったことができる。人間とだけでなく、神と愛し合い、神と人格的関係を作ることができる。そのようなものとしてヒトをあらしめているのはあくまでも霊魂であり、単なる生命物質たる肉体ではない。ここに、人間存在の、存在論的跳躍（ontological leap）がある。そこに存在論的跳躍があるということは、そこには存在論的断絶があるということだ。それに対して、肉体の側には、存在論的断絶も跳躍もなく、あるのは物質的連続だけだ。進化論が扱うのは後者の世界だけで、それは物理学と化学に支配された世界だ。それに対して前者の世界を扱えるのは、哲学と神学だ。科学（物理学、化学）は観測と計測によって物質的状態を記述することしかできない。そしてそのような観測と計測だけではスピリチュアルな領域に移った現象の記述はできない。形而上学的知識、思惟、道徳意識、自由、美意識、宗教的体験、こういった人間の内面に固有の現象は、物理学と化学では扱えない》

　このようにいうことによって、法王はかろうじて進化論（科学）にゆずり渡すことができない領域を確保したわけです。

　しかし実はテイヤール・ド・シャルダンはその程度のことは七〇年以上も前に見通していたのです。一九二一年に書いた「進化論問題の現状」（『過去のヴィジョン』〈著作集第六巻〉）においてこういっています。

「もし進化論が理性や信仰にとって危険だというならば、それは創造主の行為を無用のものにしてしまうとか、生命の発展を自然に内在する作用だけに帰する（中略）ということを証明する、などの意図を持っているはずである。事実、あまりにも多くの進化主義者たちが、生命の科学的な説明を世界の形而上学的解決ととりちがえるという重大なあやまちを犯してきた。生きた細胞の物理化学的な仕組みを解き明かすことで、霊魂を抹殺したと思いこんでいる唯物主義の生物学者と同じように、動物学の中にも、神の作品の一般構造を少しばかりのぞき見できたことで、第一原因はもはや無用のものとなったなどと思いこんだものがあった。こういうまちがった問題の設定は、この際はっきりと片付けておくべきである。厳密な意味での科学的進化論は、神を証明するものでもなければ反証するものでもない。単に実在する脈絡の事実を確認するにすぎない。進化論が我々に示してくれるのは、生命の最終動機ではなくて、生命の解剖学である。進化論は、〈何かが組織化され、そして何かが成長した〉ことを立証する。しかし進化論にはその成長の究極の条件を解き明かす力はない。進化の運動がそれ自体で理解できるものなのか、それとも主動力たる神による前進的で連続的な創造を必要とするものなのか、それを決定するのは形而上学の問題である。

進化論は別に何らかの哲学を強制するものではない。この点は何度もくりかえし述べておく必要がある。しかしそのことは、進化論が何も暗示しないということでは絶対にない。奇妙なことであるが、進化論と最もよく調和する思想体系は、実は進化論の被害をいちばん被ったと信じてきた思想体系にほかならないらしいのである。たとえばキリスト教であるが」

つまり進化論と最もよく調和する体系がそのことを自分で発見するようになるまで、実に七〇年もかかったということになるわけです。

第九章　「超人間」とは誰か

個人が生きる相互依存関係のネットワーク

テイヤール・ド・シャルダンは、進化がこれまでどのような道筋をたどってきたかを考えるだけでなく、これからどのような道筋をたどるだろうかと進化の未来をも考えようとしました。そこがテイヤール・ド・シャルダンのユニークなところで、他にも進化の研究者、進化思想の研究者はたくさんいますが、そんなことを大真面目に考えた人は他にいません。進化の研究者は基本的にサイエンティストです。サイエンティストは、そのような、わかりっこないし、わかるはずもないような問題を考えてはならない、あるいは考えてもそれを科学者として発表してはならないというトレーニングを受けていますから、仲間うちの気軽なおしゃべりならともかく、表舞台で真剣に論じようという人はいないんです。しかし、テイヤール・ド・シャルダンは、科学者であると同時に、というか、それ以上に哲学者であり、宗教的思索者だったわけですから、そのあたりを考えずにはいられなかったわけです。

そして基本的にこう考えました。これまでの人類進化は、加速度的に進化のスピードを上げながら、現生人類、ホモ・サピエンスを生み出した。ホモ・サピエンスの代になってからは、進化の舞台が生物学的側面・形態面・生理的側面から、精神的活動面・文化面・社会面に移った。そうなってから、ホモ・サピエンスに肉体的見かけ上の進化現象は何もあらわれていないが、その活動面においては、とんでもない大変化があらわれているではないか。

それはその通りなんですね。我々は四〇万年前に登場したクロマニヨン人と、形態面・肉体的機能面・生理面においては、本質的ちがいはほとんどありません。しかし、クロマニヨン人と我々が営んでいる日常生活、日々の各種活動の様態は全くちがいます。モノを食べて、クソして寝る。セックスして子供を作り、子育てをする。こういった、やっていることの基本的骨格は同じですが、やり方がちがう。やることの具体的内容がちがう。どうちがうかといえば、原始社会では個々人が個人としてやっていたことを、社会的にやるようになった。セックスをのぞくと、たいていのことは社会を介在させて、共同作業の一部として、あるいは社会的システムを共同利用しながら行うようになった。いま、社会から完全に自己を断絶して、一〇〇パーセント個人的に生きてやろうと思ったって、不可能です。どうしたって、どこかで社会とつながりを持たざるをえない。社会とつながりを持つということは、どこかで他の人がやっていることを利用させてもらうということです。

普通の人が普通の日常生活を営んでいるときに、どこでどれだけ多くの社会的接触を持ち、それを通じてどれだけ他人の労働を利用させてもらっているかを考え、さらにその一つ一つの労働の向こう側にどれだけ多くの別の人の労働が介在しているかをことこまかにかぞえ上げていくと大変な量になります。さらにその向こう側の、二次的三次的に存在する他人の労働を考えるという風にしていくと、まあ、だいたい四次労働くらいまで考えると、たいていの人は、自分の背後に世界のすべての人間の労働のネットワークが広がっていることに気づくはずです。そのように全地球的に広がった相互依存関係のネットワークに包まれて現代社会はあり、その中で個人個人も生きているわけです。

テイヤール・ド・シャルダンが、人間の時代は精神圏(ヌースフィア)の時代になった、地球はいまや精神圏(ヌースフィア)に包まれているというとき、それが基本的に意味していることはそういうことなんです。精神世界がどうのこうのという話じゃないんです。人間の頭を使う活動(精神労働)がそれだけ大きなネットワークとして広がるようになったということです。

人間のやっていることは、基本的にはすべて知的活動です。肉体しか使っていないように見える純肉体労働でも、実は大変な知的労働です。それは、それと同じ労働をロボットにやらせようとしたとき、そのロボットにどれだけ高性能の人工知能を持たせなければならないかを考えたらすぐわかります。現在この世にある、どんなに高性能の人工知能を持ってきても、一人の単純肉体労働者がやっているすべてのことをロボットにさせることはできません。できるのは、労働のごく一部の単純化できる部分の置きかえだけです。

単純肉体労働でもそうですから、ちょっとでも頭を使う知的労働はもっともっと置きかえが大変です。人間活動はすべてコンピュータなど及びもつかない大変な知的労働の集積、脳活動の集積として行われているわけです。人間活動の全地球的ネットワークというのは、別の視点から見ると、人間の脳活動、精神活動の全地球的集積ともいえるわけで、それがこの地球をおおいつくしている精神圏（ヌースフィア）の実体なんです。

そしてその背景には、労働の相互依存を基盤で支えている知のネットワークがあります。すなわち、人間が作り出した各種の知識や情報が相互に支えあうことではじめて、いかなる人間活動も可能になっているわけです。知のネットワークは、共時的（シンクロニック）に広がっているだけでなく、通時的（ダイアクロニック）にも広がっています。過去のあるとき、誰かがどこかで獲得した知識が全人類共有の知識としてプールされ、それをまたどこかで誰かがいつか使い、それによって獲得された知識をまたプールに戻す。このようにして、全人類の知的共有財産は、どんどん増えつづけてきたわけです。つまり、知のネットワーク（精神圏〔ヌースフィア〕）は、時間軸をも含んだ四次元の構造体として、全地球的・全時代的に広がっているわけです。

これは現在も量的に拡大しつつあるとともに、より精密になり、より複雑化しつつあります。人類進化の未来を考えるとき、この拡大する精神圏〔ヌースフィア〕をその基盤において考えなければなりません。

研究者は未来の進化を語れるか

しかし、一般の生物学者、進化の研究者は、その辺の目配りが全く不足していて、進化というと、過去の進化しか考えていないというのが現状です。まるで、人類進化はもうとっくの昔に止まってしまっていて、あとは水平飛行をやっていると考えているかのようです。そのような考え方は根本的にまちがいだとテイヤール・ド・シャルダンはいいます。生前未発表に終わった「問題の核心」という文章（書かれたのは一九四九年。『人間の未来』渡辺義愛訳〈著作集第七巻〉の中で、こう書いています。

「多くの生物学者は――それも比較的すぐれた学者たちなのだが――（人間は他のすべての生物同様、進化によって自然のなかに現われてきた、すなわち生まれてきた、ということについて完全な確信をもっているうえに）、人類はホモ・サピエンスの段階に到達することによって、有機体としての最上空に達し、あとはその高さを維持して飛ぶほかないと考えているようだ。したがって、人類生成の歴史は、もはや過去を回顧するだけのものになってしまっているようである」

しかし、人類進化はすでに頂点に達しているという考え方には全く根拠がないし、考え方としても合理的ではない。なぜこれまでつづいてきた進化がそこでストップしてしまうのか。むしろ、冷静に現状を見るなら、人類進化は新しい飛躍の時期を迎えようとしているのではないか。

「人間そのものがいまなお形成されつつあるのである。別の言い方をすれば、人間は動物学的にみてまだ生成しきっていない。心理学的にみても、達成の極致にはたどりついていない。むしろ何らかの形で、一種の超－人間が胎動しはじめ、社会進化の（直接もしくは間接の）作用によって、近い将来に姿を現わしてくるにちがいない」（同前）

人類は、超進化を起こし、超人間になろうとしている。これがテイヤール・ド・シャルダンの未来進化論の骨子です。超人間というと、ニーチェ[1]の超人[2]を思い出してしまうかもしれませんが、ニーチェの超人とテイヤール・ド・シャルダンの超人間は全く別物です。

ニーチェの「超人」

ところで、ニーチェの超人思想を知っている人、どれくらいいますか？（パラパラと手があがる。）ニーチェというのは、二〇世紀思想の最大の源流の一つで、それを知らずして二〇世紀思想は何も語れないというたぐいのものですから、『ツァラトゥストラかく語りき[3]』くらいは、ぜひ読んでおいてください。

『ツァラトゥストラかく語りき』は、人間がいかにして超人になれるか、その道を説くものです。その序説で、ニーチェは、「わたしはあなたがたに超人を教える。人間とは乗り超えられるべきあるものである」（『ツァラトゥストラ』手塚富雄訳、中央公論社による。以下注記しないものについては同じ）といいます。超人は「Übermensch」です。乗り超えられる凡庸の俗人は「最後の人間」（der letzte Mensch）（手塚訳は、これを「末人」とするが、これは取らない。同様に高等な人間＝höherer Mensch を手塚は「高人」とするが、これも取らない）といわれます。

要するに、ニーチェにとって、世間一般の俗人は、既成の道徳律に縛られた奴隷であり、家畜の群れのような存在であり、侮蔑と軽蔑の対象にしかなりえない存在だとされます。現代は、そういう卑しむべき連中が支配的になろうとしている時代だと。

（1）Friedrich Wilhelm Nietzsche（一八四四〜一九〇〇）　ドイツの思想家。生の哲学といわれる。ヨーロッパ文化の退廃はキリスト教の支配によるとし、新しい価値観の樹立を主張。「神は死んだ」と叫び、力への意志・永劫回帰・超人などの思想を説いた。

（2）Übermensch　ニーチェの著作『ツァラトゥストラかく語りき』（一八八三〜八五）の中で、人間にとっての新たな指針として情熱的に説かれた言葉。民衆を離れ、孤高の中で人間の卑小さの絶えざる克服をめざすという概念。しかしこの思想は、「金髪の野獣」といったニーチェの言葉とともに、ナチスのイデオロギーの中で悪用されることにもなった。

（3）*Also sprach Zarathustra*　ニーチェの主著。全四部から成る。人間の超人への変貌を希求するツァラトゥストラの種々の説教、さまざまな経験を経たのちの永劫回帰の思想の覚知、その思想に耐えられる存在への自己変革の過程などが描かれ、キリスト教的道徳および、科学的思考や民主主義等が手厳しく批判されている。

「かなしいかな。最も軽蔑すべき人間の時代が来るだろう、もはや自分自身を軽蔑することのできない人間の時代が来るだろう。（中略）大地は小さくなっている。そして、その上にいっさいのものを小さくする最後の人間が飛びはねているのだ。その種族は蚤（のみ）のように根絶しがたい。最後の人間は最も長く生きつづける。『われわれは幸福を発明した』――最後の人間はそう言って、まばたきする。（中略）存在するのはただ一つの畜群である。すべての者は平等を欲し、平等である。そう思うことのできない者は、志望して気ちがい病院にはいる。（中略）かれら（最後の人）はいささかの昼の快楽、いささかの夜の快楽をもちあわせている。しかし健康をなによりも重んずる。『われわれは幸福を発明した』――そう最後の人たちは言う」

　最後の人というのは要するに、現代社会を構成する小市民のことです。彼らは何よりも、幸福と平等を求め、それをすでにかちえたと思っている。そういう小市民的な価値をひたすら追求して喜ぶのは、下賤で卑小な連中だとニーチェはいいます。

「すなわち、こんにち主になったのは小さい者たちなのだ。かれらはこぞって忍従、謙遜（けんそん）、用心、勤勉、斟酌（しんしゃく）、等々と無限につづく小さい徳を説教する。女の性（さが）をもつもの、奴隷の種属から出たもの、ことに賤民というごたまぜもの、このやからがいまや人類の運命の主になろうとしている。――おお、嘔気（はきけ）！　嘔気！　嘔気！」

下賤で卑小な人間たちがこの世の支配権を握り、彼らはひたすら小市民的な徳を追求することしか考えていない。それが諸悪の根源なのだから、もっと高等で高貴な人間が世の中を動かすようにしなければならないといいます。世の中には、高等な人間と下等な人間、高貴な人間と下賤・卑小な人間がいるが、後者が前者を支配している現状は誤りで、前者が後者を支配するようにしなければいけないといいます。

「征服せよ、高等な人間たちよ、小さい徳を、小さい賢しらを、砂粒のような斟酌を、蟻（あり）どものうごめきを、あわれむべき安穏を、『最大多数の幸福』を」

このような小市民的価値体系、幸福、道徳律を乗り越えて、善悪の彼岸にたどりついたとき、人は超人になるといいます。そのような超人になる可能性をポテンシャルに持った人が、高等な人間といわれるわけです。高等な人間はそのまま進めばみな超人になれるというわけではありません。もう一つの跳躍が必要です。猿から人間になるのに一つの跳躍が必要だったように。

そして、猿から人間への飛躍を果たした人間が、猿の時代をふりかえってみれば、それは「哄笑の種（たね）」でしかないように、超人への飛躍を果たした人間も、人間の時代をふり返ってみたら、それは「哄笑の種」でしかないだろうといいます。このあたり、ニーチェの発想は、いかにも進化論的です。

「およそ生あるものはこれまで、おのれを乗り超えて、より高い何ものかを創ってきた。（中略）

人間にとって猿とは何か。哄笑の種、または苦痛にみちた恥辱である。超人にとって、人間とはまさにこういうものであらねばならぬ。哄笑の種、または苦痛にみちた恥辱でなければならぬ」

これが、「人間とは乗り超えられるべきあるもの」であるという意味です。乗り越えられて、その向こうに（über）突き抜けなければならないのです。だから、超人（Übermensch）なのです。

人間の世界を突き抜けるとき、価値体系が転倒します。ルネサンス以来、人間的価値として認められてきた、ヒューマニズムは捨てられます。ルネサンス以前から、キリスト教が教えてきた伝統的価値体系は捨てられます。超人になるためには、古い価値の衣を脱ぎ捨てて次のようにいえるようにならなければなりません。

「わたしの幸福、それに何の取柄があろう。それは貧困であり、不潔であり、みじめな安逸である」

「わたしの理性、それに何の取柄があろう。（中略）今のわたしの理性は貧困であり、不潔であり、みじめな安逸であるにすぎぬ」

「わたしの徳、それに何の取柄があろう。（中略）それらすべては貧困であり、不潔であり、みじめな安逸である」

「わたしの正義、それに何の取柄があろう」

『ツァラトゥストラかく語りき』には、「新旧の表」といわれる一章があり、そこには、捨てられるべき価値と新しく取り入れられるべき価値が対照的にならべられています。たとえば、「汝の隣人を愛せ」というキリスト教の教えに対しては、こういいます。

「わたしの大いなる愛は、こう命ずる。おまえの隣人をいたわるなと。人間は乗り超えられねばならぬあるものなのだ」

　世の中には善と悪があるという通念も捨てられます。

「世に一つの古い妄想（もうそう）がある。その名を善と悪という。（中略）これまで善と悪について言われたことも、ただ妄想されていたのであって、知によって把握されていたのではない」

「おお、わたしの兄弟たちよ。いまは一切が流転しているではないか。（中略）だれがいまなお動かぬ『善』と『悪』にしがみついているだろう」

善と悪は単に捨てられるのではなく、価値が転倒されます。

「善人たちこそ、最もはなはだしく真実でありえない者である。おお、これらの善人たち。善人はけっして真実を語らない。精神にとっては、このように善良であることは一種の病気である。（中略）善人たちから悪と呼ばれているいっさいの特質が集まって、一つの真実を生まなければならぬ。おお、わたしの兄弟たちよ、君たちはこういう真実を生むことのできるほどに悪人であるか」

善と悪とは、神または神的なものから与えられた規範としてあるべきではない。それは人間が創造する規範に変わらなければならない、というのはニーチェの考えです。

「創造する者とは、人間の目的を打ち建て、大地に意味と未来を与える者である。こういう者がはじめて、あることが善であり、また悪であることを創造するのであると」

善と呼ばれるものと悪と呼ばれるものを解体して、再構築することによって、一つの真実を生み出すという作業を、ニーチェは人間社会における最もファンダメンタルな善悪のルールと目されているモーセの十戒(4)を例にとって自分でやってみせます。「『おまえは奪ってはならない。殺してはならない』——こういうことばをかつて人々は神聖と呼んだ。このことばの前に人々は膝(ひざ)を折り、頭を垂れ、靴(くつ)を脱いだ。しかし、わたしは君たちに問う。今までにこういう神聖なことば以上にはなはだしい強奪者と殺害者があったろうか。

(4) 第一戒　あなたはわたしのほかに、なにものをも神としてはならない
第二戒　あなたは自分のために刻んだ像を造ってはならない
第三戒　あなたは、あなたの神、主の名をみだりに唱えてはならない
第四戒　安息日を憶えて、これを聖とせよ
第五戒　あなたの父と母を敬え
第六戒　あなたは殺してはならない
第七戒　あなたは姦淫してはならない
第八戒　あなたは盗んではならない
第九戒　あなたは隣人について偽証してはならない
第十戒　あなたは隣人の家をむさぼってはならない

いっさいの生そのもののなかに――奪うと殺すとの要素があるのではないか。そしてこのようなことばが神聖とされたことによって、真実そのものが――殺害されたのではないか」

神という存在に要請される最大の機能は、人間が守るべき第一のルール――基礎的な倫理則（善悪の弁別）を与えることにあったはずです。しかし、ニーチェは神が与えた道徳律を「奴隷の道徳」と呼び、そんなものは必要でない、といいます。真の善悪の弁別則は神によって与えられるべきではなく、人間が作り出すべきものだといいます。そうなると、神はそれだけ不要であるということになります。実際、ニーチェは神の必要性を認めず、神の死を宣告します。ここから、あのニーチェの最も有名なテーゼ、「Gott ist todt（神は死んだ）」が生まれるわけです。

神は死んだというのは本当は正しくない、われわれが神を殺害したのだとニーチェはいいます。もともと、神はわれわれが作り出した妄念であった、「神は一つの臆測にすぎなかった」と。神は妄念と臆測が生み出した、一種の妖怪であり、それは観念の病気にすぎなかったというわけです。つまり、神の死とは、妄念が消え、観念の病気が快癒することに他ならないというわけです。ツァラトゥストラ（ニーチェ）は、もともと神をそのようなものと考えていたわけではありません。むしろ正反対でした。「そのとき、わたしには世界は、苦しみと悩みにさいなまれている一個の神の製作物と思えた。世界は、そのときわたしには、一個の神の夢であり詩であると思えた」といいます。しかしやがて、そうではなくて、それは人間の妄想にすぎなかったことに気づきます。人間が神の被造物なのではなくて、神が人間の被造物にすぎなかったということを知るわけです。

「ああ、兄弟たちよ、わたしのつくったこの神は、人間の製作品、人間の妄念であったのだ。あらゆる神々がそうであるのと同じように。

その神は人間であったのだ。しかも人間とその『我』の貧弱な一つの断片にすぎなかった」

神がそのようなものとして、人間に対する絶対者であることをやめてしまうと、それまで、絶対者である神がその存在の真実性を保証していた幾つかの社会倫理上の基本コンセプトがくずれてしまいます。たとえば、「平等」です。あらゆる社会にある、「人はすべて平等に扱われるべきである」という準則は、「神の前では、万人が平等である」という前提から出発すると容易に演繹されるコンセプトですが、神がいないということになると、その命題の存立基盤そのものが失われてしまいます。実際、ニーチェはそれを否定します。

「『君たち、高等な人間（を自称するもの）よ』――そう賤民はまばたきして言う。――『高等な人間などというものは存在しない。われわれはみな平等だ。人間は人間だ。神を前にしては――われわれはみな平等だ』

神を前にしては！――しかし、その神はいまや死んだのだ。そして賤民を前にしては、われわれは平等であることを欲しない」

神がいなくなった世界で、これまで神が果たしていた役割、すなわち善悪の判別を自らの創造的行為として行う者として、超人が登場してくるわけです。神がいなくても、神の役割を果たす者は必要なわけです。超人はどこから出現するかといえば、高等な人間の中から出てくるほかありません。

「それゆえに、おお、わたしの兄弟たちよ、ひとつの新しい貴族が必要なのだ。全賤民、全暴力的支配者に対決して、新しい表に新たに『高貴』ということばを書きつける新しい貴族が。（中略）

おお、わたしの兄弟たちよ、わたしは君たちを選んで、新しい貴族であれと命令する。君たちは未来を生む者、未来を導き育てる者、未来の種をまく者にならねばならぬ」

呼びかけられているのは高等な人間たちです。

「神が墓にはいってから、あなたがたははじめて復活したのだ。いまはじめて大いなる正午は来る。いまはじめて高等な人間は――主（あるじ）となる。（中略）いざ！　いざ！　あなたがた高等な人間よ。いまこそ人間の未来の山岳が陣痛にうめきはじめる。神は死んだ。いまやわれわれは欲する――超人が生まれることを」

「かつて、人々ははるかな海を眺めたとき、『神』と言った。しかし今わたしは君たちに教える、そのとき『超人』と言うことを」

しかし、そうはいっても、超人の誕生はそうたやすいことではありません。ニーチェも、それには何世代もかかることを予期しています。

「わたしの兄弟たちよ、おそらく君たち自身にはそれ（超人を作り出すこと――立花注）はできまい。しかし、君たちも、君たち自身を創（つく）り直して、せめて超人の父および祖父となることはできよう。それができたら、君たちの最上の創造なのだ。（中略）君たちが世界と名づけたもの、それはまず君たちによって創造されねばならぬ」

また、超人を生むということは、きれいごとではありません。

「創造する者たちよ、高等な人間よ、産まざるをえないとき、人は病気である。産みおえたとき、人は汚れている。女たちに問うがよい。産むのは、慰みのためではない。苦痛に堪えかねて、雌鶏も詩人も声をしぼって鳴くのだ。創造する者たちよ。あなたがたには、多くの汚れがある。それは、あなたがたが母にならざるをえなかったからだ。一人の新しい子どもの誕生。おお、いかに多くの新しい汚物が、それとともにこの世に生まれ出たことか」

汚物もまた創造のためには必要です。

「世界は多くの汚物を生産する。そこまではほんとうだ。しかし、だからといって世界そのものは、けっして巨大な汚物ではないと。

世界における多くのものが悪臭を放っている。この事実のうちに、知恵がひそんでいる。嘔気が、翼をつくり出し、泉を求める力を生み出すのだ。

最善のものにも、嘔気をもよおさせるあるものがある。最善のものも、乗り超えられねばならぬあるものである」

「『人間は、より善く、またより悪しくならねばならぬ』――そうわたしは教える。

最大の悪は、最善の超人を生むために必要である」

　善とか悪とかいうものは、単純にカテゴライズできるものではありません。また、善から生まれるものは善で、善以外から善は生まれないといった単純な系統づけもできません。善と悪はもっと複雑な相互作用をしており、超人もそのような相互作用の中から生まれるのです。

「聞け、わたしはあなたがたに超人を教える。（中略）
まことに人間は不潔な河流である。われわれは思いきってまず大河にならねばならぬ。汚れることなしに不潔な河流を嚥みこむことができるために。
聞け、わたしはあなたがたに超人を教える。超人はそういう大河である」

　そして、人間と超人の間の関係を一言で総括して、次のようにいいます。

「人間は、動物と超人とのあいだに張りわたされた一本の綱である」

テイヤールの「超人間」

　ニーチェが考える超人という概念は以上のようなものですが、テイヤール・ド・シャルダンの考える超人あるいは超人間、超人類という概念は、それとは著しくちがうものです。

ニーチェの超人は、一見進化論的な装いをまとっていますが、進化論とは全く無縁です。進化という現象は、そもそも種（しゅ）という生物学的集団の世代交代の積み重ねの上に発現するもので、個体の観念世界の上に起きる現象ではありません。それは、種全体をまきこみ、いかなる個体の思惑も決断もまるっきり無視し、個体にはどう抗しようもない形で、超巨大な地すべりのごとく進行していくものです。

しかし、ニーチェの考える超人への〝進化〟はもっぱら、個の観念世界の中において、個の発意と決断をもとに起こしうることであって、本当の進化現象とはちがうものです。もし本当にニーチェが考えていたような進化が起こるとしたら、その進化をもたらす母集団として、〝高等な人間〟という集団が、種にいたるプレ集団（前駆集団）として、生物学的に成立していなければならないところですが、そういうものはありません。つまり、ニーチェの超人思想は、はじめから終わりまで、生物学的リアリティをもって起きる可能性がある話では全くないのです。

ニーチェが進化論を知っていたかというと、先の『ツァラトゥストラかく語りき』の引用でもわかるように、知っていることは知っていました。ダーウィンの『種の起源』の発表が一八五九年で、ニーチェ一五歳のときですから、ヒトがサルから進化したくらいのことは知っていたのです。しかし、進化とはそもそも何なのか、それはどのようにして起こるのかといった、科学的内容を伴った進化論はほとんど知りませんでした。そもそも、ニーチェの生きた時代には、進化の背後に遺伝現象があるということすらわかっていませんでした。メンデル[5]の遺伝の原理の発見は、『種の起源』の発行の直後、一八六〇年ごろと考えられていますが、当時その研究は誰も注目する人がなく、それから四〇年間、事実上誰にも知られなかったのです。メンデルの遺伝法則が世に知られるようになるのは、二〇世紀のはじめになって、それが〝再発見〟されてからなのです。しかし、それが知られても、その法則の背後に何があるのか、遺伝のメカニズムはどうなっているのか、遺伝子とはいったい何なのかといった

(5) Gregor Johann Mendel（一八二二〜八四）　オーストリアの修道士で遺伝研究家。一八五四年より当時問題になっていた種の変化性に関心を示し、五六年より実験を開始。しかし、その価値は一九〇〇年に至るまで認められなかった。彼のエンドウを用いた研究は、交雑結果を統計的に処理しただけでなく、物理学の方法としての要素分析法を採用し、植物の形質が世代を経て伝えられる様子を分析、そこに遺伝現象をになう実体の存在を明らかにした。

ことがわかってくるのは、分子生物学が発展してからですから、実は最近のことなんです。進化も、最近は相当のことがわかってきていますが、まだまだわからないことが多く、進化はこれからの科学という側面が多いんです。

ニーチェが『ツァラトゥストラかく語りき』を書き上げたのは一八八五年のことで、メンデルの〝再発見〟前のことですし、それから四年後、一八八九年には発狂(6)してしまいますから、本当の進化現象については、彼は何も知らないで終わったわけです。あの程度の認識、あの程度の記述で終わったのも無理からぬところがあります。

ニーチェがほとんど観念世界のお話としてしか超人への進化を考えなかったのに対して、テイヤール・ド・シャルダンは、生物学的リアリティとして、人類が超人間へ進化していくことを考えていたのです。といっても、普通の生物進化のように、種の中に変異が蓄積して……といったダーウィン的進化を考えていたんじゃないんです。テイヤール・ド・シャルダンの進化論はもっともっと壮大なんです。

テイヤール・ド・シャルダンは、全地球的な人類の知のネットワークとして、精神圏（ヌースフィア）というものを考えていたわけです。そして、生物の歴史は一貫して複雑化＝意識の法則によってもたらされる進化の歴史だったと考えていたわけです。

当然、その法則による複雑化は、いまも進行中であるということになります。進化はいまも進行中だということです。その結果として何がもたらされるかを考えることが、未来の進化を考えるということです。

複雑化の進行にともなって何が起こるかといえば、小体化が起こるというのがテイヤール・ド・シャルダンの考えでした。小体化というのは、システムを構成するエレメント(要素)がより小さくなるということです。そうなると、そうなっただけ、単位体積あたり、より多くのエレメントが詰め込まれます。そうなると、エレメント間の結合は密になり、より緻密で、より複雑な構造ができあがっていく。それによって同時に、エレメントの間の相互作用が増大し、システム構造の次元が一段アップして、より高次の構造ができるようになる、というわけです。

これは、原子から分子ができる過程を考えるとわかりやすいでしょう。宇宙空間のような茫洋とした空間に、裸の原子(イオン)がパラパラとあって、それが猛スピード

(6) 一八八九年一月、トリノの街頭で発狂。発狂後は妹と母親に引き取られ、一九〇〇年、ワイマールで死去した。

で飛びまわっているような状態だと、相互作用は滅多に起きず、ほとんどいかなる現象も起こりません。しかし、狭い空間に多数の原子を詰め込むと、原子同士が衝突を絶え間なく繰り返し、無数の相互作用が起きて、その中から原子同士が結合した分子が生まれてきます。多数の分子ができて、それがまた密に詰め込まれて運動し、相互作用を起こすようになると、多数の分子が集まったより高次の構造体、超分子ができます。超分子が多数集まると、それが相互に結合して、機能を持った巨大分子を作ったり、マトリクス構造（単純な繰り返し構造の連続体）を作ったりします。アミノ酸が集まってタンパク質[7]を作ったり、脂質が集まって膜を作ったりするようなものです。合成化学でいえば、モノマーが結合してポリマー[8]ができるようなものです。

生物でいえば、そういう構造体や機能分子の集合の上に細胞ができ、細胞が寄り集まってより高次の構造を作り、その複合によってさらに高次の構造を作るというようにして、組織ができ、器官ができ、システムができるという具合になっていくわけです。そしてついには、それらすべての集合として、一つの生物体の全体ができあがるわけです。

それと同じことが精神圏（ヌースフィア）にも起きるだろうというのが、テイヤール・ド・シャルダンの基本的な考えなんです。

精神圏（ヌースフィア）を構成するエレメントは、人間個人です。人間個人個人を一つの分子と見立てたとき、何人かの人間が集団を形成して機能的一体化をはかることで、超分子のようなものがあちこちにできる。超分子が集合して、巨大機能分子のようなものもできつつある。しかし大半はまだマトリクス構造にとどまっていて、全体として一つの機能的構造体を形成するような、より高次の階層作りはあまり進んでいません。

しかし、複雑化＝意識の法則がさらに進むのはまちがいないから、人間をエレメントとする超分子構造作り、超分子を集めた高次の組織作り、システム作りがやがてどんどん進んでいく。いつの日か、その総（すべ）てが統合されて、一つの超巨大な生きたシステム（生きもの）作りにまで発展していくだろうということなんです。

（7）二つ以上のアミノ酸がペプチド結合によって結びついた化合物のこと。アミノ酸が二個ならジペプチド、三個ならトリペプチド、二～一〇個程度ならオリゴペプチド、それ以上ならポリペプチド、そして一〇〇個以上のアミノ酸からなるものをタンパク質という。
（8）同種の小さな分子の構造単位（モノマー）が多数結合した高分子化合物をポリマーと呼ぶ。タンパク質、核酸、合成繊維、接着剤などがその例。

つまり、テイヤール・ド・シャルダンが、超人、超人間というとき、それは、人間をエレメントとして作られる、生きた超巨大な高次構造体ができるということなんです。個としての人間存在をはなれた話なんです。分子が集まって超分子ができる、組織が集まって器官ができる、器官と組織が集まって一つの生物体ができるというような話なんです。人間個々人が個体のレベルでそれぞれに人間を超える超人に進化するというようなレベルの進化論とは全く別次元の話なんです。

かつて、イギリスの経験論哲学者で、政治哲学者でもあるホッブズ[9]が、国家を、人間をエレメントにして作られた、伝説上の巨大怪物、リヴァイアサンにたとえましたが、それに近いような発想です。

しかし、テイヤール・ド・シャルダンの考えがそれとはまたちがうのは、その超巨大な生きた構造体は、リヴァイアサンのような手におえない怪物ではなく、人間よりはるかに高次な意識を持ったこの上なくすばらしい生きものになるだろうということなんです。複雑化＝意識の法則に従う進化の歴史において、より複雑化した物質は、より高次の構造と、より高次の意識を持つようになるという道をたどってきました。そして、物質から生命が生まれ、生命体はより低次のものからより高次のものに進化し、ついにヒトを生み出したわけです。ヒトをエレメントとして生み出される、そのより高次の生命体は、当然その延長上にあって、人間より高次の意識を持つようになる。それは、複雑化の究極、意識化の究極となるのだから、オメガ・ポイントと名づけられるだろうというのです。

（9）Thomas Hobbes（一五八八～一六七九）　イギリスの代表的な政治思想家。ピューリタン革命を避けてフランスに亡命し、『リヴァイアサン』を執筆。政治認識の哲学的構成を貫いた点で、近代政治学の創始者の一人とも評される。

第一〇章　「ホモ・プログレッシヴス」が未来を拓く

進化の矢の尖端はすでに新しいステージに突入している

結局、精神圏（ヌースフィア）というのは、人間の頭脳活動の綜合された全体をいうんです。テイヤール・ド・シャルダンは、これにさまざまな表現を与えていますが、あるときは「地球という惑星を包みつつある思考する被覆」なんて呼んだりしています。生命の誕生とともに、地球は生命圏（バイオスフィア）という膜状の組織でおおわれるようになったわけですが、人類進化とともに、生命圏（バイオスフィア）の外側に精神圏（ヌースフィア）という外被がもう一枚かぶさるようになったということです。

ヒト以前の動物にも知的能力があり、低レベルではあるが意識を持つようになっていました。ヒトと動物はどこがちがうかといえば、ヒトにいたってはじめて「自分が知っているということを知る」内省的自意識が持てるようになったことです。これをテイヤール・ド・シャルダンは省察力と名づけ、それによって人間ははじめて、未来を予見したり、プランを立てたり、建設したりすることができるようになったといいます。動物も考えるが、それは機械でも代替できるような低いレベルのものです。考えることは、動物にあっては単なる生存のための道具立ての一つにすぎないわけです。それは一種の計算機械にすぎないから、パターン化した思考から抜け出すことができない。それに対して人間はパターンを脱して自由に考えることができる。そして思惟を通して生存条件からの自由も獲得していったわけです。進化という観点からいうと、省察力の獲得によって、ヒトは新しい進化能力を獲得したともいえるわけです。それは、社会化という現象を通じてです。個体は進化しなくても、社会という新しい存在様式を通して、進化していくことが可能になったわけです。

ヒト以外の生物の進化は、染色体(DNA)を通して行われます。染色体が変わることが進化なのです。個体のバイオロジカルなメカニズムの変化があってはじめて進化の階梯が一歩進んだといえるのです。しかし、ヒトの場合、染色体の変化は、クロマニヨン人の出現以降ほとんど起きていません。それでも、ヒトは進化しています。ヒトは、個体として進化しなくともヒト全体がより高次の有機体として組織され、その高次の有機体として進化をはじめたのだというわけです。

動物の進化の歴史は、脳進化の歴史でした。頭部形成と大脳化の歴史でした。複雑化=意識の法則は、動物進化がすすむにつれ、もっぱら脳を舞台にして展開されるようになりました。そしてそれが、最高に複雑な脳を持ち、最高の意識世界を持つヒトという動物を誕生させたわけです。

ヒトが誕生したあとの生物進化の流れはどうなったのかというと、ヒトの個体を離れて、ヒト全体で形成する精神圏（ヌースフィア）が新たな進化の舞台となったというわけです。個々人の個別的脳がより複雑化するのではなく、ヒト全体の脳で形成される精神圏（ヌースフィア）がより複雑化し、より高次の意識を持つようになったわけです。新たな頭部形成、大脳化が、精神圏（ヌースフィア）それ自体に起きはじめたということです。

精神圏（ヌースフィア）全体を手足のごとくコントロールする単一の頭部ができたということじゃないんです。多くの脳細胞が集まって一つの脳を作るように、多くの脳が集まって、一つの大きな巨大脳を作りつつあるのだということです。もちろん、その巨大脳がすでにできているわけではありません。作られつつあるというにすぎません。大脳ができる前に、多数の脳細胞が集まって神経核[1]ができ、神経核が集まって大脳が組織されていくという脳形成における階層化があったわけですが、ヒトの脳が集まって精神圏が形成され、それが一つの巨大脳に綜合されていくプロセスでも、幾重かの階層が必要になるはずです。そのような過程を経て本当にそれができるまでに、どれくらいの時間がかかるかは明らかではありません。いずれにしても長い時間がかかり、そのプロセスが本当に始まったのかどうかを確かめるためにすら、まだまだ時間はかかるでしょう。

しかし、テイヤール・ド・シャルダンは、進化のこの新しいステージへの移行がすでにはじまっていることは明らかだといいます。「進化の矢の尖端」は、すでに新しいステージに突入しているといいます。それが見える人には見える。見えない人には何も見えない。見える人には、その矢の飛んでいく、行く先すらある程度見当がつくようになってきているといいます。そういうクリティカルな過渡期に我々はいるわけです。

このような大きな状況変化を、テイヤール・ド・シャルダンは、多くの論文で、さまざまに表現しています。

たとえば、一九四九年の「人類は生物学的な意味で自分自身を軸としてうごいているかどうか？」（『人間の未来』伊藤晃・渡辺義愛訳〈著作集第七巻〉。以下の論文も同巻所収）の中で

（1）脳や脊髄など中枢神経系の中で、特にたくさんの神経細胞が集まっている場所。神経系において情報伝達の中継点や分岐点の役割を果たす。

は、「要するに、こんにちわれわれがガリレオの同時代人たちと同じ知的状況にふたたび位置していることをあらゆる状況がさし示しているように思われる」といっています。

要するにこれは、天動説から地動説へのコペルニクス的大転換のことをいっているわけです。その時代と現在のどこが比肩できるのかというと、静世界から動世界への転換という点です。天動説から地動説への転換というと、一般に中心点の転換、視座の転換というコンテクストで語られますが、それよりははるかに大きな転換だったのが、静かにそこにあるだけだった宇宙が、いま現に生きて動いている宇宙になったということにあるといいます。しかも、自分が不動の大地と思って踏みしめていた地球そのものが動いていたわけです。それは、宇宙がすでに完成された不動のシステムとしてそこにあるのではなく、現に動きつつある生成過程のシステムとしてあるという見方への転換、「存在の宇宙から生成の宇宙へ」という見方への転換だったといいます。

テイヤール・ド・シャルダンのこの見方には、ぼくは異論があります。宇宙が本当に生成過程にあるという時間軸を入れたダイナミックな過程として見ることができるようになったのはアインシュタイン以後の話で、それ以前のニュートン力学の世界では、世界は時間的に対称だった(つまり、昨日も今日も明日も同じ世界ということ)わけですから、本当の生成過程とはいえないわけです。

それはともかく、現代とガリレオの時代のどこが似ているのかというと、「存在から生成へ」というところが似ているといえます。かつては、それが宇宙についていわれたけど、いまそれが人間存在についていわれるようになったということです。人間は進化の流れの中で完成された存在としていまここにあるのではない、人間は生成過程にある未完成の存在だということです。「静的で拡散的な人類というヴィジョンから全面的な人類生成という神秘的な将来に向かって生物学的にひっぱられていく人類のヴィジョンへの変化」(同前)にくらべたら、ガリレオの時代の宇宙観の転換など、とるに足りないほど小さな転換だったといいます。

よく人間は動物進化の頂点であるというようなことが安易にいわれますが、人間は決していま進化の頂点にいるのではなく、頂点はもっとずっと先だというわけです。テイヤール・ド・シャルダンは、進化の研究者ですから、その時間の尺度も進化論的で、人間が未来進化をきわめるには、まだまだ一〇〇〇万年単位の時間がかかるだろうといいます。

しかし、その進化の方向ははっきりしているといいます。「上昇させてくれる方向はただ一つ、より多くの組織化によってより大きな総合と統一へ導く方向である」(「進歩についての省察」)といいます。宇宙は、至高の統一体に向かって無限に合一していく方向にある。その中にあって、人間も、高度に一体化しながら、至高の統一体との合一をめざす方向に進んでいくというわけです。宇宙は物質的、物理的には、エントロピーが増大し拡散する方向に向かっているが、「エントロピーの下降する波の裏には、これと拮抗する精神生成の上げ潮があるのだ!」(同前)といいます。

物質は拡散する方向に向かっているが、意識は絶えざる高まりの過程にあり、より集中しより収斂する方向に向かっているというわけです。そして、人類は超複雑化し、超求心化して、一つの脳の細胞以上にみんな一体化してしまうだろうというのです。

過去数世紀間の世界の歴史をもう一度ながめ直してみれば、このトレンドはすでにはっきり見えてくるはずだといいます。

プラネタリーな意識の生成

世界の経済活動はますます一体化しつつあります。人間の持つあらゆる知識が綜合されて、一つの一貫した体系（科学）として共有されるようになってきました。人間集団の諸活動も社会的に統合されるようになってきました。これらの動きの延長上に、人間全体が一体となって思考するような日が来るだろうといいます。それが彼のいう超人類の誕生であり、超進化なんです。要するにヒトという種のレベルを超えた進化が実現するということなんです。ヒト以上の組織体が生まれ、進化する主体がヒト以上のものになってしまうということです。

物質進化は、物質を構成する基礎的エレメントが、より密に凝集し、より多くの結合を作った上で、その結合の強度を高めるという形で進んできました。より複雑な物質、より複雑な化合物はそのようにしてできてきたのです。それと同じように、精神圏（ヌースフィア）の進化も、それを構成する人間同士がより緊密に集合し、その結合の量と質を高めることによって実現していくというわけです。

人間は脳を発達させることによって、コミュニケーション能力を高め、より接近しあい、協力しあい、精神的により融合しあうようになってきました。そして、人間存在の中心と中心が出会い、共感することを学ぶようになると、もともとバラバラで孤独だった個と個が共通の目標を持ち、共通の中心に向かって求心的な運動を起こします。すると必然的に個と個はより接近し、より強く結合するようになります。そういう結合が広がることによって人間社会は高次の結合体になっていくわけです。

このように、共通の中心に向かう求心的な運動を共有する人間同士は、ある意味で神を共有するのと同じことだと、テイヤール・ド・シャルダンはいいます。

「まず精神の総合（これこそ進歩の唯一の定義である）を完全に行なうことのできるものとしては、すべてをじゅうぶん考量してみれば、結局のところ、共通の相互愛により実現できる、各個の人間の中心と中心との出会いしかないのである。他方また、ほんらい無数である人類の要素相互のあいだでは、ただ一つの愛し方しか可能ではない。それは、みんなが一緒に同じ共通の《超－中心》へ向かって超－集中するすべを知ることである。そして各人は互いに結合することによってのみ、自己の極点において、この《超－中心》に到達できるのである。

『あなたがた各人の奥底に、同じ神が生まれつつあるのを認めて、互いに愛しあいなさい。』いまから二千年前にはじめていわれたこのことばは、こんにちわれわれが

進歩と進化とよぶものの本質的構造をなすと考えられるようになりつつある」（同前）

それが進化の本質をなすとはどういうことなのかというと、前にいったように、進化とは、ダイヴァージャンス（放散）とコンヴァージャンス（収斂）が絶えず交替していく過程です。そして、ヒト化の過程で見たように、新しい種の誕生には、まずその前段階として、多くの模索的ダイヴァージャンスが先行します。ダイヴァージャンスは放散過程ですから、基本的には外に向かう過程です。しかし、ダイヴァージャンスのゆらぎの中で、その方向が中心に向かって湾曲してしまうものが出てくることが確率的にあります。それが単独のまま終われば、また別のゆらぎから反対方向に向かうものが出てきて、全体としては、ランダムな熱運動と同じように、互いに打ち消しあって、特定の方向への動きなど出てこないのでしょうが、たまたま同じような方向性を持ったもの同士が同期した運動を起こしたり、あるいは両者の間に相互作用が起きて互いに助け合う関係が生じたりすると、より多くの接近を求めるようになります。そのトレンドがさらに進んで、接近がさらなる接近を呼んだり、あるいはさらなる他者の接近を求めたりして、そこに方向性を持った流れが生まれてくることがあるわけです。

そういう過程が進行するうちに、ダイヴァージャンスの同一方向への方向転換が増えてきて、それが臨界点を越すと、ダイヴァージャンスがコンヴァージャンスに転換してしまうわけです。そして、さらに進んで、コンヴァージャンスの進行がある臨界点を超えたところで、新しい種の誕生が起こるわけです。

進化の歴史の中で、こういうことが何度も繰り返されてきたわけですが、いままた人類進化の中でそれが起きているというわけです。ダイヴァージャンスからコンヴァージャンスへの湾曲転換点はすでに過ぎた。コンヴァージャンスが新しい種を生み出す臨界点もすでに目の前にあるというわけです。しかも、今回の大転換は、新しい種の誕生どころか、種を超えたレベルの大進化の転換をもたらすものだから、とてつもない大変化の予兆がすでにあるといいます。

「最近何年かにわたっての一連の論文における私の努力の目標は、絶対のなかで哲学することではなくて、自然科学者として、物理学者として、いまわれわれが明らかにまきこまれているもろもろの出来ごとの、一般的な意味をはっきりさせることであった。多数の内的・外的な徴候から（政治的・社会的動揺、精神的・宗教的不安）、われわれはみな程度の差はあればくぜんと、現在われわれのまわりのこの世界で《何か重大事件が起こっている》と感じている。しかしそれは正確にはどういうことなのだろうか?……」（「新しい精神」）

それはこの大進化の臨界点を我々がいま通りすぎつつあることを示しているのだといいます。臨界点を通過することによって、人類はより高次の意識を持った存在に再形成されようとしている。より高次な意識とは何かといえば、まず、この地球全体を自分の生活圏、生存圏と正しくとらえ、その立場から地球全体をケアしていかなければならないと考えるプラネタリーな意識の持ち主になることだといいます。

新しいユマニスムの誕生

そのような意識の転換は、我々の時代には当たり前のこととして実現していま す。それは環境問題の悪化によって全地球的に考えなければならない問題が現実にたくさん出てきたこと、コミュニケーションメディアの発達によって地球上のあらゆる地域のできごとが自分の隣町で起きていることのように感ずることができるようになったこと、宇宙船アポロの撮った写真で、地球が本当に宇宙空間にポッカリ浮いた一つの惑星にすぎないことが実感的にわかったことなど、要因はいろいろあります。しかし、二〇世紀はじめの人は、そのような経験を何一つ持てなかったわけで、プラネタリーな意識など持ちようもなかったわけです。その中にあって、このような考えを展開できたテイヤール・ド・シャルダン（一八八一年生まれ）は実に先見の明に富んでいたといわなければなりません。

人類がプラネタリーな意識を共有できるようになると、当然、それをベースに新しいユマニスム（人間主義）[2]が生まれ、新しい共通のクレド（信条）[3]を持つようになるだろうといいます。

宇宙が生成過程にあるものとして見え、人間もまた生成過程にあるものとして見えてくると、世界のあり方が全くちがって見えてくるはずだといいます。

「宇宙はものかげから明るみに出るのだと私はいいたい。宇宙はその特徴をはっきり示す。宇宙は価値をもってくる。宇宙は活気づく。そして最後に宇宙は輝きをもってくる」（同前）

宇宙は、存在の意味がわからない、空虚な砂漠ではなくなる。進化の軸は常に、より綜合し、より統一を高め、より集中し、より意識を高める方向を向いているということがわかっているから、それに沿って人々の価値体系が再編され、行動原理が再検討される。その結果、生は無目的ではなくなる、といいます。

地球は、われわれがその上でひしめいている〝牢獄のような小さな星〟ではなくなってくる。〝モラルのいたましい混乱〟もなくなる。方向が定まらないが故に空しく浪費されてきた人間のエネルギーも目標を見出す。

何も見えない人間にとっては、日々の生活はくだらなさと倦怠とに満ちており、無益な努力の連続だが、宇宙生成とその中における人間生成が現に進行中であることが見えている者にとっては、世界は完成に向かって動いているのが見え、それに加わるすべての過程に意味を見つけることができる。

また、それが見える者同士の間では、お互いに同じ完成に向かっている隣人同士で

(2) ヒューマニズムのこと。人間もしくは人間に関することがらを最重視する精神態度。すべての世界事象は、何らかの形で人間と関係しているため、特定の体系的思想を指すよりも、むしろ人間を尊重する倫理的態度とも考えられる。
(3) キリスト教の教義の要点を簡潔に述べた定式。「信経」、「クレド」(「われ信ず」のラテン語 credo より)とも呼ぶ。聖書はキリスト教の教義を述べた文献ではない。キリスト教の教義は古代教会の時代に少しずつ形成されたもので、その過程がさまざまな信条に反映されている。

あることが見えてきて、〝根本からの親和力〟がわき出し、それが〝魂の間の牽引力〟となって、より一層深く結合するようになるといいます。

そうなることによって、精神圏(ヌースフィア)の網の目はより密になり、より引きしめられる。そして、次のような現象があらわれてくるといいます。

「——集団的記憶の出現。(中略)

——ますます速度を増す思想の伝達による、まさに神経組織網とでもいうべきものの発達。(中略)

——各個人の視点の一致と集中がますますおしすすめられる結果生ずる、共通のヴィジョンをいだく能力の発現」(「人類の遊星化」)

こういった要素も、現代社会にみんなあらわれているでしょう。特に第二項の「神経組織網」なんて、現代のインターネット網のことをそのままいってるような感じすらあります。しかし、もちろん二〇世紀前半の人であるテイヤール・ド・シャルダンにそこまで予測できるわけはないのであって、彼がここで考えていたのは、主に、ラジオ、テレビ、電話といったコミュニケーションメディアの発達です。彼はそれを、「精神圏の形成」の中で、「精神圏の《脳髄的》器官」と呼び、それは「いまの段階においてすでに、われわれすべてを一種の《エーテル状の》共－意識のうちに結びつけている」といい、やがてこれが〝人類の集合的無意識〟を生むのだといっています。

テクノロジーの進化論的機能

テイヤール・ド・シャルダンという人は、自身も科学者であったためか、科学技術に深い理解を持っていた人で、実はこの「精神圏の形成」という論文の中では、コンピュータにまで言及しています。

「私はまた、あのおどろくべき能力をもつコンピューターの油断のならない発達をも思い浮かべている。このコンピューターは、一秒間に何万回という割り合いで組みあわせられる信号によって、われわれの脳髄をわずらわせ疲れさせる作業を軽減してくれるばかりか、われわれのうちにある《思考速度》のひじょうに重要な（しかもその重要性がほとんど注目されていない）因子を増加させ、それによって、研究の領域に革命を準備しつつある」

この論文が書かれたのは一九四七年で、世界最初のコンピュータといわれるＥＮＩ

AC(4)(一万八〇〇〇本の真空管でできていました)が登場した翌年のことです。当時その重要性をこれだけ適確に見抜いていた人は、人文系ではほとんどゼロ(彼は人文系を超えていたのですが)といっていいでしょう。

コンピュータの可能性を見抜くと同時に、彼は電子顕微鏡の重要性も見抜いていました。人間の思考の主要な源泉の一つは感覚的な視力だから、その能力が光学的顕微鏡の限界を乗り越え、それまで細胞までしか見えなかったのに、一挙に巨大分子まで見えるようになったことで、これまた人間の知の領域を大きく変えると予測していたのです。電子顕微鏡が生まれたばかりの時代で、その能力をこのように高く評価した人は稀な時代でした。

テイヤール・ド・シャルダンが、こういったものが登場すると、それをすかさず高く評価したのは、彼がそれを進化論的な見地から見ていたからです。つまり、動物の多くは進化するとき、自分の肉体の一部を道具と化すことによって種として成功してきました。モグラは顔面と手を穴掘り道具にしてしまったし、水鳥は足を水かきにしてしまいました。たいていの動物が、肉体のどこかに特殊化した道具を持っているものです。しかし人間は、自分の肉体そのものを道具とすることなく、肉体の外にあるさまざまな道具を自由に使うという方向に進化したのです。あるいは自分を汎用の道具利用マシンにしたといってもいいかもしれません。自分の肉体を道具にしてしまえば、それしか道具として使えず、道具の機能もそれだけにとどまりますが、人間はどんな道具でも使えるから、道具を独自に進化させることで、その機能をどんどん高めていくことができたのです。人類進化は、ある時点から、人間プラス道具というハイブリッド系として進化することになったわけです。

つまり、人類進化は、道具の進化も見ないとわからないわけです。道具はどんどんより複雑化し、ついには機械になり、人間はマン・マシン系として進化して今日にいたったわけです。ですから、精神圏（ヌースフィア）を考えるときも、機械を入れた系として考えるべきだといいます。

「地上のすべての機械もまた、しだいしだいに、有機的に組織された唯一の大きな

（4）電子式数値積分計算機（Electronic Numerical Integrator and Computer）　一九四六年に完成。一万八〇〇〇本の真空管を収めたという機械は、高さ三メートル、幅が三〇メートルもあり、一四〇平方メートルの部屋を占拠、使用電力は一五〇キロワットにのぼり、ENIACの使用中は付近の都市の灯りが暗くなったといわれている。

機械を形成する傾向をつよめている。（中略）その進歩をしだいに速め、増加させながら、ただ一つの巨大な、地球をとりまく複合体を形成するに至る。（中略）ホモ・ファーベル(5)の登場したさい、道具はそもそも人体の外部的付属物として生まれた。こんにちではそれが全人類をすっぽりと包む覆いになっている。（中略）肉体的なものだった道具が《精神圏的なもの》になっている」（「精神圏の形成」）

機械を積極的に利用したもう一つの効用は、それによって、人間社会がより緊密に組織立てられるようになったことだといいます。機械を作るのも、機械を利用するのも、個人ではなく、人間集団がベースになります。また、機械を利用しはじめると、すぐにその改良、改善が考えられ、そのような情報は、もともとは一人の人間から発しても、すぐに万人のものになります。機械を媒介として、人間社会の一体化はますます進んだのです。こういう状況はテイヤール・ド・シャルダン以後、今日にいたるまでつづいているといえます。

個人からはじまった新しい知識が、すぐに全人類のものになってしまうという過程は、道具がらみでいうと、遠く石器時代からはじまっているわけですが、やがてそれがあらゆる領域の知識について起きるようになります。しかも、知識の伝達のサイクルが速くなってきています。コペルニクスの地動説が全人類の常識的知識になるまでには一〇〇年単位の時間がかかっていますが、インターネットの世界で新しい便利な道具が生まれて、それをいますぐタダでダウンロードできるといった話なら、数時間で世界をかけめぐってしまいます。

有用な知識は、全人類が共有する共同資産として蓄積され、世代を超えて伝えられていきます。そのことがまた、人類進化を他の動物進化と全くちがったものにします。

動物の場合、世代を超えて伝承される情報は、染色体の上にある遺伝情報だけです。しかし、ヒトの場合は、染色体情報よりはるかに大量の情報が、言語情報として世代を超えて伝えられていきます。これは人間だけが獲得した新しい遺伝の形式だといいます。このような新しい遺伝の形式が生まれたからこそ、人間は染色体を離れて独特な進化をとげることが可能になったのです。

(5)「作る人」を意味する。フランスの哲学者アンリ・ベルクソンが提唱した言葉。ベルクソンは、ものを作ることに人間の本質があると考えた。

進化というのは結局遺伝の問題で、あるとき遺伝情報が変化して、それ以後の世代にその変化した遺伝情報がずっと伝えられるようになるということです。そういう意味では、人類共有の知識という形をとった遺伝情報も、どんどん書き換わってきたわけですから、ヒトの染色体は変化しなかったものの、知識の面でどんどん進化してきたといえるわけです。

精神圏の《脳髄》は宇宙的ヴィジョンを獲得する

知識の遺伝で最も重要なのは教育です。教育というシステムを作り、世代を超えた知識の伝達を総社会的に組織的に行うことによって、知識の遺伝が可能になったともいえます。

知識はその生産過程においても、横の広がりを必要とします。

「新しい思想や直観のうち、とくにこの一世紀のあいだに、われわれの思考の不滅のかなめ石となり骨組みとなった（中略）ものを、何なりととり上げて考察してみよう。（中略）つぎのことは明らかではないだろうか。なるほど、この世のどんな人間も、独力では、これらの思想の高みにたどりつけないだろうし、この世のどんな人間

も、自分ひとりでは、これらの考え方の現実性をつかむことも、制圧することも、きわめつくすこともできない」（同前）

こういう横の広がりをさして、テイヤール・ド・シャルダンは、これは「人類共通の脳髄を練り上げる」ことだといっています。たしかに、人類社会の知的営為のほとんどすべては、孤立した脳の中で営まれるのではなく、多くの脳が力を寄せ合う形で営まれているわけです。

文明が進むにつれて、そのような知的営為に参加する人たちがどんどん増えてきたという事実があります。手を使う労働から解放されて、脳を使う労働に従事する人が多くなったからです。しかも、単なる頭脳労働ではなく、何ごとかを探究するという形の頭脳労働が増えています。そして、その中から「探究の魔」にとりつかれた人々が多数輩出しはじめたといいます。

「過去のいつの時代にも、探究を天職ないしは職業とする真の研究者の存在が認められた。しかし彼らの数はほとんどひとにぎりにすぎず、どちらかといえば世のつねでないタイプの、概して孤立した人びとだった。つまり《好奇心のつよい連中》とみなされていたのである。ところがこんにちでは、われわれも気づかぬうちに、事情は一変している。現在、何千万という人びとが、物質、生命、思考のあらゆる分野で探究をすすめているが、彼らはもはや個々別々ではなく、チームを組織して研究している。(中略)ついきのうまでぜいたくな趣味だった探究が、いまでは明らかに、人類の一次的な、いやそれどころか主要な関心事になろうとしている」(同前)

これがどういうことを意味しているのかといえば、精神圏の発達によって解放された大量の精神的過剰エネルギーが、テイヤール・ド・シャルダンが「精神圏(ヌースフィア)の《脳髄》」と呼んだものを形成し、それをさらに発達させる方向へ流れ込みつつあることだといい、「人類は、それに先立つすべての有機体の場合と同じように、ただしもっと大きなスケールで、しだいに《脳髄化》しつつある」(同前)のだといいます。その結果として、精神圏(ヌースフィア)は〝思考する巨大な機械〟となり、それにふさわしい意識の高まりを見せ、宇宙的なヴィジョンを獲得するといいます。〝意識に裏打ちされた複雑化〟もしくは〝複雑化の成果としての意識の高まり〟というプロセスが進行して、精神圏の表面に分布している〝思考する中核〟が近づきあい、互いに刺激しあうことによって〝互いに支えあうもろもろの脳髄群〟が出現する。やがてそれは連帯し、有機的に相互浸透するようになり、次第にそれは統合されていく。そして〝最大限の複雑化〟〝最大限の意識〟が出現するというわけです。

もちろん、このようなプロセスがスムーズに進行するわけではないだろうといいます。

「ホモ・プログレッシヴス」が未来を拓く

世界の現状を見ると、〝混乱と不和の厚いヴェール〟が世界の上にたれ込め、いまほど人間が互いに憎しみあっている時代はかつてなかったろうと、「人類の遊星化」の中でいっています（テイヤール・ド・シャルダンは第一次大戦と第二次大戦の双方を体験した人ですから、これは強い実感になっています。しかもこの文章は第二次大戦が終了した一九四五年に書かれています。ちなみに「遊星」というのは昔使われたことばで、いまでいう惑星のことです。以下、遊星は、引用の中ではプラネット又はプラネタリーといいかえます）。

しかし、このような憎しみの時代にあっても、未来への希望はいたるところにほの見えている。人類がプラネタリーな結合を形成していくであろう未来が、すでに見えているといいます。その何よりの証拠には、新しい型の人間が世界のあちこちに出現しているのが認められることだといいます。それをテイヤール・ド・シャルダンは、「ホモ・プログレッシヴス」と名付けます。それはどういう人たちかというと、人類はもっと進歩しなければならないと考え、現在より未来を優先させて考え、自分たちの身のまわりの空間の問題より全地球的な問題をより重要と考える人たちで、かつ同時に「探究の魔」にとりつかれた、思考するマグマともいうべき人たちだといいます。

そういう人が、すでにいたるところに、あらわれている。いかなる人種的、政治的小集団の中にも、地域や階層、思想、信仰に関係なくあらわれている。それはまだ点状に存在するだけで、まとまりは何もないが、その人たち同士の間には、ある種の共感と引力が働いていて、すぐにお互いの存在を認めあい、接近して結合しようとする。

「もっとも注目すべき点は、この出会い、この結合が、同じ種類、同じみなもとをもつ要素、すなわち精神圏の上の同じ区画のなかから選ばれた要素のあいだでだけ起こるのではないということである。この引力は、いかなる人種的・社会的・宗教的障壁をもこえてはたらくようにみえる。私にはその経験が限りなくあるし、だれでもそれを経験しうるのだ。相手の国籍、信仰、社会的レヴェルがいかなるものであろうとも、彼のうちに私のものと同じ期待の火がわずかなりともひそんでいさえすれば、即座に深く決定的で全面的な接触がうち立てられるのである」（『人類の遊星化』）

それはまるで、「同じ種に属する」者同士が感じるほとんど動物的な直観だといいます。

いま人類は、ホモ・プログレッシヴスとそうでない人たちとの間で、根底的な大分裂を起しつつあるとテイヤール・ド・シャルダンは考えます。そしてそれは、一世紀半前あたりからはじまっているといいます。ということは、これが書かれたときからいって、一八世紀末あるいは一九世紀のはじめあたりからということになります。そのあたりから人類社会には、知的・社会的大動揺が起こりはじめ、それに加速される形で、人類（精神圏）の分裂が進んできたといいます。

この分裂の根底にあるのは、いま起きつつある人類進化の流れをどう受けとめるかということだといいます。もう人類がこれ以上の進化を起こさず、進化の現段階にこのまま安住してとどまることを選択する人間と、もっと上方へ進んで進化の次の段階をめざそうとする人間との分裂です。

「物質的な富の次元でではなく、進歩への信仰に関しての、全面的でおそらく決定的なものである人類の分裂、これこそこれからわれわれが立ち会うことになるであろう現象なのだ。

この視点からみれば、生産者と搾取者のあいだのマルクス主義的な古い対立は時代おくれである。——すくなくとも場ちがいな概括にすぎない。最終的にこんにちの人間を二つの陣営にへだてようとするのは、階級ではなくて、一つの精神——運動の精神なのである」(同前)

こちらには、より多くの現在の快楽と利益を求めて、身のまわりのことしか考えられない人たちがいる。一方には、未来中心に考えて、いまやらなければならないことは、いま大変でも未来のさらなる進歩を実現していくために必要な準備に汗水を流すことだと考える人たちがいる。

「こちらには、本質的に《ブルジョワ精神の人》がいるし、あちらには、真の《大地のはたらき手》がいるのである。そしてこの人たちこそ、暴力も憎しみももたず、純粋に生物学的支配の結果によって、明日の人類となるだろうと容易に予言できる。こちらには屑があり、あちらには遊星化(プラネタリザシオン)の担い手、その構成要素があるのだ」(同前)

このプラネタリザシオンの過程を、テイヤール・ド・シャルダンは「（個人および集団としての）人間の超 - 進化」と呼んでいます。それが進んでいく中で、人間（といってもプラネタリザシオンの側に立つ人という意味ですが）は、「それまで存在すらわかっていなかったある種の心的能力を（あたかも共鳴現象のように）解き放ちうるようになる」（「精神圏の形成」）だろうといいます。それは、「有機的なものに対する普遍的な感覚」「精神的な発生が持続する感覚」「集団の感覚」「普遍的なるものの感覚」「テレパシーのような一種の心と心の通いあい」などで、こういった感覚に助けられて、共感の力が人類集団をひたし、それが人類の結合を強め、それによって、それまで実現不可能だったようなことが可能になるといいます。この過程で何より大きな力を発揮するのは、人間同士の心の結合だといいます。

「それは何よりも能動的なものであって、精神圏のつよい張力のもとに、個々の人間はまわりの孤独の壁をうち破って、おどろくべき関連性の場（中略）のなかに没入する。なぜなら、単なる原子と原子を結びつける力でさえひじょうにつよいのだから、もし同じような結びつけるきずなが人間という分子と分子のあいだで《結ばれる》とすれば、どんなことでも起こると期待してよかろう」（同前）といいます。

プラネタリザシオンはそれによって、一層強力に進行していくというわけです。

第一一章　終末の切迫と人類の大分岐

真の「全体化」とは

人類進化は精神圏（ヌースフィア）の生成というところまでたどりつき、精神圏（ヌースフィア）において、複雑化＝意識のプロセスがさらにつづくわけです。

そのベクトルがどちらの方向を向いているかというと、内面化とともに、全体化、超人間化という方向を向いています。

近代文明は、基本的に、個別化、人間化というベクトルをたどってきました。一九世紀になると、それは個人の自己満足、自己中心性をもってよしとするエゴイズムを生み、「個人のために」より「すべてのために」を求める〝種の意識〟は反撥を買い、「すべては個人のために」をもってよしとする市民からなるデモクラシーがより上位の価値を持つとされました。

エゴイスムの向かった地点は、個人が孤立した粒子と化してしまい、しかもそれが互いに反撥しあうという世界で、全人類的な統合などは夢見ることすらできないような世界でした。そのような方向性が極限まで行きついたところで、今度は、「全体化」というベクトルが強く働き、人間化ではなく人類化という、より正しい方向になってきたとテイヤール・ド・シャルダンはいいます。

二〇世紀はじめいくつかの社会で全体主義[1]というとんでもないムーブメントが起こり、それが戦争をひき起こしたりしたわけですが、テイヤール・ド・シャルダンがいっているのは、あのような全体化ではありません。全体主義のような全体化は、「全体化へ向かう果てしない道に撒かれたさまざまな形のわなや袋小路（政治的－社会的な機械化、行政の停滞（ブロカージュ）、過剰人口、反淘汰……）」（『自然における人間の位置』日高敏隆訳〈著作集第二巻〉）の一例であるといいます。

真の全体化は、個々の人間が思考する意識の粒になり、それが複合体を作ることによって、意識をより収斂させていくという方向で実現されていくといいます。個人の行動半径が増大し、意識の相互浸透力が増すと、精神圏（ヌースフィア）には過剰圧縮という現象が起きる。それが社会の過剰組織化をもたらし、それがさらなる意識の過剰圧縮をもたら

（1）totalitarianism　「個」に対する「全体」（国家、民族、階級など）の優位を徹底的に追求しようとする思想・運動・体制をいう。この言葉の起源は、イタリアのファシズムの最高指導者ムッソリーニが、運動の目標として一九二四年ごろから掲げた「全体主義国家」の概念に求められる。

すという連鎖反応が起き、経済的にも、社会的にも、技術的にも、これからの社会は接近エネルギーの増大から逃れることができないといいます。物理的接近と精神的接近（思考と思考の間にも引力が働くといいます）はどちらも接近すればするほど相互作用が強まり、さらにこの二つの接近が互いに他を強めあうという作用によって、「人類はあたかも歯車の嚙みあいの中にあるように、自己の全体化というたえず加速されてゆく《渦》のまっただ中におかれている」（同前）といいます。

その結果、人間社会は精神的な加熱を受けつづける。その中にあって、現代人は「何かわけのわからない不安と希望」（同前）が交錯した精神状態に置かれた感じになるが、これは、宇宙の精神的曲率がそれまでの放散を基調とするものから、収斂を基調とするものに変わったことによって、思考と行動の全体が一挙にパターンを変えたためだといいます。そして、この収斂の向かう先にはより高次の生命体が生まれるはずで、それが超人間なのだというわけです。

その過程で、脳細胞が新しい配列を獲得したり、これまで使われないで予備的にとっておかれたニューロンが動員されるようになったりして、大脳はより高次化する。その脳を使って、人間はあらゆる方向に探求活動と創造活動を繰り広げていく。感性も知識もより高度の発達をとげていく。個と個の間の思考の相互作用がより一層緊密なものになり、高度の集団的思考という方向に進んでいく。それが何百万年もつづいていくと、「いずれ人類は、ついにすべてを『抱括』し、全体的そして最終的な思考によって、すべてを自己の中で一つの共通な観念（idée）と一つの共通な情熱（passion）とに還元するところまでゆくであろう」（同前）といいます。

つまり、人間社会全体の精神的な結合による一体化、中心化が起こり、それは全体的な「人格化（personnalisation）」に向かうことになるといいます。人間化は分散し孤立した人間の集団を生み出しただけだったが、新しい超人間化は、思考し、合一する多数の人間の内面的一致の方向に向かう。その精神的内面化の焦点がオメガ点だというわけです。

そして、こうもいいます。

「宇宙の進化を成立させている全般的収斂は人間化だけで完成するわけではない。地球上にはたんに諸精神が存在するだけではないのである。世界は進行を続け、地球の単一な精神が現われるであろう」（『人間のエネルギー』高橋三義訳〈著作集第二巻〉）

ここにいう「地球の単一な精神」が超人間なのです。複雑化の法則に従って、世界が進行を続けた結果、ヒトが誕生した(人間化)わけですが、世界はさらに進行をつづけ、それが超人間を生むというわけです。

「地球の死」の向こう側

しかし、その先はどうなるのかという問題があります。地球に単一な精神があらわれるとして、その精神はそれから何をするのかという問題があります。

「成熟の状態に達した人類は、ひとりで自分自身といつまでも向きあう」(「精神圏の形成」『人間の未来』伊藤晃・渡辺義愛訳〈著作集第七巻〉)ことになるのだろうかと、テイヤール・ド・シャルダンは自問します。

別の考え方として、実は宇宙のあちこちで、同じような進化が起きており、同じように高いレベルに達した人格的存在があり、それとより高いレベルの複合体を作っていくという考え方もあります。高度な精神文明を発展させた宇宙人が存在するというような考え方ですね。それはありそうもないことだけど、ありえないことではない。しかし、この場合も、問題は「その先」に先送りされるだけで、それからどうなるのかという問題はあいかわらず残ります。

その先を考えようとすると、どうしても、死と神の問題が出てくると、テイヤール・ド・シャルダンはいいます。

物理学的な未来予測として、太陽の死は約束されており、それとともに、太陽系も死にます。地球も死にます。あるいは宇宙も死ぬのかもしれない。エントロピーの法則に従えば、宇宙にはいずれ熱的な死が訪れることになります。遠い未来の熱的死の前に、地球を含む宇宙の一部では、何らかの宇宙論的現象の果てに熱的死が訪れるかもしれない。いずれにしろ、地球の未来に待っているのは死です。

「世界の終末、すなわちわれわれにとっては地球の終末……あなたがたは、このおそるべきしかも確実なことについて、まじめに、人類的に、考えてみたことがときどきはあるだろうか？」（「生命と遊星」『人間の未来』）

とテイヤール・ド・シャルダンは問います。

「人間と地球を宇宙の枠のなかにもういちどおいてみようというあらゆる努力の果てに、いやでも出てくるのは、死の問題である。それはもはや個人としての死ではなくて、プラネタリーな尺度での死の問題であり——まじめにさきのことを考えるなら、ただこの死のことを思ってみるだけで、いまここで、ただちに地球の全活力を麻

痺させるに足りると思われる」（同前）

すぐ目の前に確実な死が待っているということになると、人間は、行動への意欲を失います。全人類的見地から、地球の未来を構築していこうというプラネタリザシオンの立場が正しいとわかっていても、そのために具体的な目標を設定しそれを実現していこうというような意欲はなくなるでしょう。

個人の場合も、未来に確実な死が待っているという状況は同じですが、

「個人としての人間はあとに残る息子たちや自分の仕事のことを考えて、みずからをなぐさめる。しかし、人類にとっては、将来何が残るだろうか？」（同前）

このままでは、人類の未来に待っているのは、「絶対のゼロ」です。完全なる死滅、大いなる墜落です。

このような状況がもたらすニヒリズムの影から逃れるためには、

「死の亡霊にヴェールをかけたり、これを遠くへしりぞけたりするだけでは足りず、これをわれわれの地平から決定的に追いはらってしまわなければならない」（同前）

どうすればそれが可能かといえば、個人が個人の終末の向こう側にまだ残るものが

あることを考えて救いを得ているように、人類にとっても宇宙論的死の向こう側に存続するものがあることを信ずることによってだといいます。ここから、神の存在の必要性が出てくるわけです。

人類がオメガ点に到達するとき

テイヤール・ド・シャルダンはイエズス会の司祭ですから、もちろん、前から信仰を持っているのですが、ここでいきなり「信ずる者は救われん」みたいな形で、伝統的なキリスト教の教えを提示するわけじゃないんです。

どうしてもここで神の概念が出てこざるをえないということなんです。それなしには、この状況（前方に待つ確実な死）の克服ができないということなんです。

ここで登場してくる神の概念とは伝統的な神概念とはかなりちがったものでして、これまでも何度か話に出てきた、進化の極点としてのオメガ・ポイントのことです。そのような概念を措定することによってはじめて、未来に待つ死の影を追い払うことができるといいます。

「ところで、これ（死を追い払うこと——立花注）こそまさに、複雑性の軸に沿って延びる宇宙の前方に、というよりむしろその中心に、収斂の聖なる中心が存在するという観念（中略）によって可能となることではなかろうか、この中心を、先入見がまったくはいらないように、そしてその総合的・人格的機能を強調するために、オメガ点とよぶことにしよう」（同前）

あるいは、こういういい方もします。

「（プラネタリザシオンが正しく実現されるためには）われわれの心のなかの地平線に、ある心的な宇宙の中心、ある至高の意識の極が上昇してきて、これが世界のあらゆる意識要素の収斂の目標となり、そこで意識要素が互いに愛しあうようになれること、つまり神の上昇が必要なのではなかろうか？」（同前）

進化の極限として、未来の人類がオメガ点に到達するというのはどういうことなのか。そのとき何が起こるのか。

「人類が自己を中心とする収縮と全体化の極限で、成熟の臨界点に達し、その果てに、地球や星が原初のエネルギーの消滅していくかたまりとなってゆっくりと回転するのを後方に残して、心的にこのプラネットから離脱し、諸物の唯一の不可逆な本質であるオメガ点に到達するということも、考えられてくるのではなかろうか？　おそ

らく外的には死と似た現象であろう。しかし実際には、単に変貌にすぎず、至高の総合への到達なのである」（同前）

これがテイヤール・ド・シャルダンの終末のイメージなんです。それは一見すれば死であるが、それが同時に至高の存在に合一することによってたどりつく最後で最高の綜合だということなんです。

複雑性の理論を推し進めていけばこの結論しかないといいます。これは大胆すぎる仮説のように聞こえるかもしれないが、これしかないと。

「ともかくこの仮説だけがわれわれに一貫性のある見とおしを開いてくれるのである。人間の意識のもっとも根本的で強力な二つの流れ、知性の流れと行動の流れ、科学の流れと宗教の流れが将来収斂し頂点に達するという見とおしを」（同前）

複雑性の理論の延長が必然的にこうなるというのは、こういうことなんです。

複雑性は意識を生みます。生命の進化が進むにつれ、意識はより高次のものになっていき、それはついには、省察力を生みます。意識がある臨界点を通りすぎ、省察力のレベルに達したときが、人間の誕生だったわけです。人間は省察力を持った動物としてずっとやってきたわけですが、これからの未来進化において、いずれ複雑化の法則は人間の意識のレベルをもう一段上に押し上げるときが来る。そのとき、意識はもう一つの臨界点を通りこして、省察力は省察力以上の何ものかになるだろうというのです。人間が人間を超えた超人間になるというのはそういうことなんだというわけです。

「このように考えると、人類の歴史はとうぜん二つの臨界点のあいだにすっかり含まれることになろう。すなわち、第一の点は、もっとも低い、原初的な省察の点、第二の点は、もっとも高い、精神圏的な省察の点」(「精神圏の形成」『人間の未来』)

第一の点と第二の点の間が人間の時代で、第二の点の向こう側が超人間の時代になるわけです。

科学による進化の加速

このような超人間への飛躍は、一〇〇万年単位の未来に起こるだろうとテイヤール・ド・シャルダンは考えています。そこに至る道は、これまでの進化と同じような進化ではなく、「超-進化」によってもたらされるともいいます。超-進化とは何かといえば、自然まかせの進化ではなく、人間が科学的な手段によって進化を加速化させることなんです。つまり、人間が人間に手を加えて、超人間になってしまおうということなんです。

「第二の段階では、（個人および集団としての）人間の超‐進化がすすめられる。そこでは、精神圏のなかで科学的な手段を用いて手に入れられ適用される精練された形のエネルギーが用いられる。この超‐進化は、自分自身について省察しながら一致協力してはたらくすべての人間の努力に俟つところが大である。といっても、原子、ホルモン、細胞、および遺伝法則についての知識の組み合わせをわれわれ自身の組織の上にふりむけた場合、それがわれわれをどこに導いていくか、だれにいえよう。（中略）生命はかつて人類を創ったが、それをスプリングボードにして、第二の冒険への道を踏み出そうとしている」（同前）

ここに書かれていることは、現在のバイオ技術を背景に考えるとそういうこともありうるなと思わせます。バイオ技術を用いて、人間の遺伝子に手を加えること（超進化）は、すでに遺伝子治療という形ではじまっています。動物や植物の実験では、もっと過激な遺伝子操作を行っています。自然にはない特別の能力を持った植物、動物を実際に作り出しているわけです。人間の場合、いまは病気の治療という形でしか行われていませんが、同じ技術でより高次な能力を持ったハイパー人間を作るという試みが行われる可能性は、そう遠くない将来に考えられるわけです。

しかし、このテイヤール・ド・シャルダンの文章が書かれたのは一九四七年で、ワトソン[2]、クリック[3]の前ですから、分子生物学、遺伝子工学以前なんです。

その時代にこういうことが予見できたのかというと、ある程度はできました。オルダス・ハックスレーの有名な逆ユートピア小説『すばらしい新世界』は、いまから五〇〇年後の世界を描いているんですが、そこでは、子供はみんな遺伝的にコントロールされた試験管ベビーとして作られ、その多くがクローン人間なんです。受精卵は人工子宮で育てられ、生まれると、人工的な条件反射教育を受けさせられる。そして、その国の人間はみな全体主義国家の独裁者に忠実な臣民となってしまうわけです。

この小説では、超進化がネガティブな方向に起こされてしまうわけですが、同じ技術を用いてポジティブな超進化を起こすことも技術的には可能と考えられます。

テイヤール・ド・シャルダンは、先端科学と先端技術に強い関心を持ち、できたばかりのコンピュータや電子顕微鏡についていち早く言及したりしていたことは前に述べましたが、サイクロトロン(4)の見学に行って、その原理に強い印象を受け、それを彼の進化理論にとり入れたりしたこともあります。

オルダス・ハックスレーはテイヤール・ド・シャルダンの友人だったジュリアン・ハックスレーの弟ですから、おそらく彼もこの評判の小説を読んでいたと思われます。そしてそこに書かれたバイオ技術の可能性に思いをめぐらせたことが、このような文章を書く背景になっているのではないかと考えられます。

---

(2) James Dewey Watson(一九二八〜) アメリカの分子生物学者。クリックとともにDNAの二重らせん構造を発見し(五三年)、六二年にクリックおよびウィルキンズとともにノーベル生理学・医学賞を受賞。のちにコールド・スプリング・ハーバー研究所長として「ヒトゲノム計画」を指揮。

(3) Francis Harry Compton Crick(一九一六〜二〇〇四) イギリスの分子生物学者。ワトソンとともにキャヴェンディッシュ研究所でDNAの構造の研究を行い、六二年にノーベル生理学・医学賞を受賞。

(4) 粒子加速器の一つ。円形の管の中に電磁石で上下に強い磁場と、高周波電圧をかけて、粒子を加速させる。一九三〇年にアメリカの物理学者アーネスト・ローレンスらが考案した。

意識の高次化の究極としての「神」

超進化の結果として生まれる超人間は、これまでの人間にあっても充分でなかったいろんな心的能力(高次の省察力)を充実させます。その一つが、「生き残ろうとする意志」だといいます。あるいは「絶対を求めてやまない気持ち」「自己省察を行ないながら死を予見する能力」「不可逆性に対するつよい要求」などもそれだといいます。

それでも全面的死滅を前にすると、はじめはたじろぎます。

「全面的な死滅という観念は、個人に適用された場合、はじめのうちはわれわれを慄然とさせずにはおかない。それをさらに人類全体におしひろげるとき、われわれの心は拒否反応を起こし、はきけをもよおす」(同前)

しかし、ここで、超人間の得た高次の省察力は、もう一段の意識の飛躍を起こすといいます。

「逆説めくが、つぎのようにいえよう。精神圏を宇宙的に一つにする求心化の究極点において、すなわち、もうそれ以上総合がすすむことはありえないように見えるときに、精神圏は最大量の精神的エネルギーに満たされ、さらに前進する方向へのうながしをえるのである。

これはこういうことを意味するのではないだろうか。（中略）意識化の曲線は、増大する複雑化の方向をたどりながら、時空の経験的な枠をつき破って、いずこかへのがれていくが、その目ざすところは統一と成熟の超‐中心であり、この中心には世界のあらゆるかけがえのないもの、伝達できないものが、終局的に、全体としても個別的にも、集められているのである。

そしてここで、生物学の立場からいえば避けがたい闖入者のように、哲学の立場からいえばしかるべき場所を占めるかのように、神の問題が顔を出す」（同前）

一九五一年に書かれた「生物学を徹底的に究めるとき、その導きによってわれわれは超越的なものの世界に浮上しうるか？」（『科学とキリスト』渡辺義愛訳〈著作集第九巻〉）という短い文章がありますが、そこでは、すべての生物において、生き残りたいという欲求こそがすべての生命のプロセスを進行させる原動力であって、それがこの最後の進化過程においても強く働くのだといいます。

「もしいつの日かわれわれがつぎの事実に気づいたとしたら、どんな事態が生じるであろうか？　すなわち、宇宙がそれ自身を軸としてあまりにもぴったりと閉ざされており、われわれがそのなかでいつまでもまわり続けることを余儀なくさせられているか、もしくは（結局同じことだが）そのなかで全面的な死におもむくよう定められているか、いずれかの理由で、どうしてもそこから脱け出せないという事実に気づいたとしたら？　ちょうど自分たちの前方の坑道がふさがっているのを発見した坑夫たちのように、たちどころに、しかもいっせいに、われわれは行動する《勇気》を失うであろう。そして人間的な躍動は、その奥底から根本的に勇気も意欲も失って、永久に停止し、《収縮》してしまうであろう。

　このことはほかでもない、つぎのことを意味しているといえよう。省察の段階に達した進化のプロセスがそのあゆみを持続するためには、それ自身が不可逆的なものであること、すなわち超越的なものであることを発見しなければならない。（中略）

　進化は、全面的な死をまぬかれる何物かへの通路であり、われわれを神へとひきもどす神の手なのである」

　しかし、現代人には神という概念が簡単には受け入れられないということを、テイヤール・ド・シャルダンはよく認識しています。

「現代ではもはや、人間と神——現代人の目に映じるままの神——とのあいだが何かしら《うまくいっていない》のである。どうみても、人間はいまのところ、自分が礼拝したいと望む神についてはっきりした映像をもっていないように思われる。（中略）総体的にみれば、われわれのまわりの至るところで、無神論が抑えきれないほどの上げ潮に乗っているという印象（中略）をぬぐい去ることができない」（「問題の核心」『人間の未来』）

無神論の代表としてマルクス主義がありますが、それについては、次のようにいいます。

「それはやがて崩壊しつくすべき世界、凍った世界である。中心も、出口もない宇宙である。マルクス主義的人間生成観は、生物学的進化論の初期の段階に導入され、すこぶる強力に推進されはしたが、その終極点に不可逆的な中心が存在することをまったく認めないので、生成の躍動を究極的に証明することも支持することもできないであろう」（同前）

つまり、こちらには「前方には完全な死をまぬかれさせる出口が開いていない」（同前）というのです。

では、テイヤール・ド・シャルダンのいう神とはどのようなものなのか、「人格的宇宙の素描」（『人間のエネルギー』）の中では、まず、これまでの神概念（雲の上にいるヒゲを生やしたおじいさんのようなイメージはとうの昔になくなっており、ここであげられているのはもっと現代的なイメージ）の誤りを次のように指摘しています。

「現代の実証論者は、必ずといっていいくらい、神を、事物が自身を失うことによってそこで全体化される岸のない大洋のようなものだと考えている。進化論者であるゆえに本質的に汎神論者であるわれわれの同年代者は汎神論といえば個体を放散的な広大なものの中に溶解するという形式でしか理解していないらしく見える。これは世界の統一性が、自然学の影響の下で誤って、その中では統一性が分解してしまうところの、ますます単純なものになってゆくエネルギーの方向に求められているという事実に基づく幻想である。神とはエーテルのことである、と数年前にはひとは言ったでもあろう」

　これはなんとも恐ろしい翻訳ですから二度読み三度読みして意味を推量するくらいにしてください。

　それに対して、テイヤール・ド・シャルダンは、あくまで進化論の立場から神を考えます。進化の歴史は、一貫して意識化の方向、より意識を高次化していく方向をたどってきたわけです。「所与の瞬間における意識の各段階はいっそう高い意識への階梯としてのみ存在」（「現象としての精神」『人間のエネルギー』）したといいます。それはことばをかえていえば、人格化の方向でもあったわけです。意識の高次化が最高の段階に達したときにヒトが出現し、実際に人格が出現したわけです。進化を引っぱってきたエネルギーは人格化のエネルギーだったともいいます。そして、この意識拡大、人格化の流れはこれまでやむことなくつづいてきたのであって、それはこの流れが不可逆の流れであることを示している。ということは、この流れはこれから先もつづくということを意味するといいます。

「精神現象は不可逆なものとして現われており、権利上も不可逆的なものと考えられる。（中略）そしてじっさいに、歴史的にみれば、意識は地球上で拡大することをけっして停止しなかったのである。この単純な検証は、精神の成長に対して宇宙は前方に完全に開かれていることをわれわれに教える」（同前）

というわけです。そして、意識の高次化、人格化の流れの究極として出てくるのが神だというわけです。神は神ですが、神のもう一つのペルソナであるキリストといったほうがいいかもしれません。テイヤール・ド・シャルダンは、この究極で出現するキリストを、「超－キリスト」といったりします。しかし、それは歴史上のペルソナとして出現した最初のキリストと同じだといいます。

「私は《超－キリスト》ということばによって、もう一人の別のキリストを意味させるつもりはまったくない。（中略）私の意味するのは同じキリスト、いつものキリストである。ただしそれはわれわれにたいして、拡大され新しい力を与えられた姿、大きさ、緊急性、接触面をもってそれ自身を啓示するキリストである。（中略）キリストは私がオメガ点と呼んだものと一致する」（「超－人類、超－キリスト、超－愛徳」『科学とキリスト』）

かくして、ここに、

「神学によって定められた普遍的キリストの中心、人類生成によって望まれた普遍的な宇宙の中心、この二つの中心は、結局のところ、われわれが置かれている歴史的状況のなかで必然的に一致する」（同前）

ということになるわけです。

「神はその全体が一切の中にある」

人格神という立場に立つと、神の持つイメージはかなりちがったものになります。

「宇宙を人格的なものすなわち総合の方向に延長するならば、得られる結果はまったく異なったものである。そのときは神は宇宙素材の羅列によってではなくて集中〔中心化〕によって出現する。溶解の媒質としてではなくて人格化の中心として現われる。神は精神なのである」（「人格的宇宙の素描」『人間のエネルギー』）

進化の究極において、オメガ点として神があらわれ、全人類、全存在がそれに合一するというとき、それは何を意味するのか。

「（オメガ点の）統一体においてはたんにわれわれのなにものかが生き残るだけではなくて、われわれそのものが生き残るのである。要するに宇宙の人格化は、その構造上、その進化の過程において次々と生み出した《人格》の総体をそっくりそのまま至高の人格の中で永遠に救済することによってのみはたらくことができるのである。神は諸中心の中心としてしか定義のしようがない。この複合性の中には神の統一性の完全性が含まれている。——精神－物質の発展の唯一の帰結として論理的に指示できるのはこういうことである」（同前）

このくだりに対して、テイヤール・ド・シャルダンは、もう少し説明が必要だと感じたのか、自分で次のような注釈をつけています。

「諸存在の神における合一は、（世界の諸要素の接合から神が生じると考えるにしても、または反対に神が諸要素を自身のうちに吸収するのだと考えるにしても）融合によって生じるとは考えられないのであって、《分化させる》総合によるのである（そして世界の諸要素は神のなかに収斂すればするほど、それだけますます自己自身になる）。（中略）全体化したキリスト的宇宙（聖パウロの言葉を借りれば『充溢(plérôme)』）においては、けっきょく、神は単独に留まるのではなくて、神はその全体が一切の中に（エン・パーシ・パンタ・テオス）あるのである」

この最後のギリシア語の部分が、テイヤール・ド・シャルダンが自分の思想の核心に置いている言葉です。

テイヤール・ド・シャルダンが死ぬまでつけていた日記があるのですが、その最後のページは死ぬ三日前に書いた次のようなものです。自分の信仰というか思想のエッセンスをメモ書きにしたものなんですが、そこにも、この言葉が出てきます（〈著作集第七巻〉）。

聖木曜日　私の信じること。

(1)　聖パウロ　三つの節、En pâsi panta Theos.

(2) 宇宙＝宇宙生成→生命生成→精神生成→キリスト生成

(3) 私のクレドの二項目　宇宙は中心をもつ　進化的に　上方へ

前方へ

キリストは宇宙の中心である　キリスト教という現象

精神生成＝キリスト生成（＝パウロ）

(1)の「聖パウロ　三つの節」というのは、新約聖書の「コリント人への第一の手紙」（コリント前書）の一五章二六節から二八節のことで、次のような部分です。

「最後の敵として滅ぼされるのが、死である。『神は万物を彼の足もとに従わせた』からである。ところが、万物を従わせたと言われる時、万物を従わせたかたがそれに含まれていないことは、明らかである。そして、万物が神に従う時には、御子自身もまた、万物を従わせたそのかたに従うであろう。それは、神がすべての者にあって、すべてとなられるためである」

この最後のセンテンスが、先のギリシア語の部分なんです。この三節は、パウロの終末論といわれる部分で、この世の終わりがどのようになるとパウロが考えていたかを示す部分です。

考えてみると、テイヤール・ド・シャルダンの思想は一生をかけて書き足していった壮大な終末論みたいなものですが、そのいちばんのベースにパウロの終末論があるわけです。

世界の終末

彼が終末に関して書いたものの大半は、進化の最終段階の展開を書いた論考なのですが、中国で北京原人の発掘をやっていたころに、終末論そのものをストレートに書いた珍しい文章があります。これは死んだ後に見つかったもので、「世の終わりに関するテクスト」と題されて、著作集第七巻『人間の未来』の中におさめられています。

「世の終わりはいったいどんなものだろうか、それを思い浮かべるのはたやすいことではない。恒星系の大異変は、われわれの個人的な死とかなり相称的であるといえよう。しかしそれは宇宙の終末というよりは、地球の終末を招来するものである。だが、世の終わりに姿を消さなければならないのは宇宙そのものなのである。

この秘義のことを私が考えれば考えるほど、それは私の夢想のなかで、意識の《内側へ向かう方向変換》の、内的生命の噴出の、そして忘我の状態の形をとるようになる。巨大な物質にほかならない宇宙がいつの日か姿を消すときの様子を理解するために脳味噌をしぼる必要はない。世界の相貌が瞬時にして一変するためには、精神がその流れの向きを変え、別の領域に踏みこみさえすればこと足りるのである。

時の終わりが近づくにつれて、地球脱出の欲望に絶望的に締めつけられている人びとの努力から生じるおそるべき精神的な圧力が、実在するもののすみずみに加えられるであろう。この圧力はすべての人にひとしく感じられるであろう。しかし聖書はつぎのように説いている。この圧力は、同時にまた、深刻な分派によってひき裂かれることになる。一方の側には、さらにより以上に世界を掌握することを目ざして自分自身からそとへ出ていこうと欲する人びとがいる。もう一方の側には、キリストのことばを信頼して、世界とともに神に吸収される日を目ざしながら、世界の死を熱情こめて待ち望む人びとがいる。

おそらくそのとき、創られた世界の統一への適性は絶頂に達し、その上にキリストが再臨するであろう。時の初めから続けられてきた、同化と総合の唯一のはたらきがようやく啓示され、普遍的キリストが、ゆっくりと聖化された世界の雲間から、稲妻の閃きのようにその姿を現わすであろう。天使たちの吹奏するラッパなどは貧弱な比喩にすぎない。考えうるかぎりでの最強の有機的な牽引力（それは宇宙を凝集させている力にほかならない！）にゆりうごかされて、もろもろの単子（モナド）はある定められた場所に向かって突きすすむ。（中略）

そのとき、神と世界から成る有機的な複合体が構成されるであろう。それが充溢（プレロマ）である。この充溢は神秘的な実在で、われわれはそれを集約的によぶとすればただ神と名づけるほかはない。なぜなら、神は世界なしでもすませるからである。かといって、世界をまったくの付属品にすぎないものとみなすこともできない。もしそう考えれば、創造は不可解なものとなり、キリストの受難は不条理なものとなり、人間の努力はつまらないものとなってしまうからである。

そしてそのとき終わりがくるであろう（Et tunc erit finis）。

渺茫たる潮のように、至高の存在はもろもろの存在のざわめきを統（す）べつくすであろう。世界の無類の冒険は波静まった大海原のただなかに終わりを告げるであろう。その大海原のなかではどの一滴の水も自分が自分自身であることの意識をもつであろう。すべての神秘家の夢は、至当な形であますところなく満たされているであろう。神がすべてにおいてすべてとなるであろう（Erit in omnibus omnia Deus）」

この最後のラテン語の部分が先のギリシア語の部分と同じで、この一語にテイヤール・ド・シャルダンの終末論は集約されるわけです。

終末の切迫における選択の問題

この終末論にもありますが、終末の切迫は、その評価とそれに直面しての行動の選択をめぐって、人間を対立する分派にわけるものです。テイヤール・ド・シャルダンは、いま現在もまた、人類はそのような分岐点に立たされているといいます。「人類は生物学的な意味で自分自身を軸としてうごいているかどうか?」（『人間の未来』）という文章の中で次のようにいっています。

「われわれをひっぱっていくこの奔流（超人間へ向けての進化——立花注）をまえにして、二つの異なった態度、二つの形態の《実存主義》が理論的に可能なものとして姿を現わす。すなわち、この流れを拒否し、それに抵抗し、深淵へと導くようにみえる歩みを、あらゆる手段をつくして遅らせ、さらには（ストイックな孤立のうちにあえなく死ぬことも覚悟のうえで）その歩みから個人的にのがれようとする態度が一方にあり、他方には、自由と生命を与えるものとして認められたうごきに身をゆだね、それに積極的に協力しようとする態度がある」

事態は切迫しており、いますぐその態度を決める必要があるとテイヤール・ド・シャルダンはいいます。

「いましがた刻まれたこの時にあたって、われわれは精神的な意味で二つの態度のどちらに属するかをいますぐに決めないかぎり、肉体的にもはや存続できない（行動できない）段階にさしかかっていることを示さなければならない。すなわち、人類の統合に対して不信の念を表明するか、さもなければ信頼の念を表明するか、どちらかである」（同前）

それが終末論的選択かどうかは別として、アクチュアルな国際社会のあり方の問題として、我々の時代は確かに、人類統合の方向にさらに歩を進めるのかどうか、ことあるごとに選択を迫られる時代なんです。

そういうアクチュアルな問題として、きみらも人類統合という問題を考えてみてください。

第一二章　全人類の共同事業

地球化学が明らかにするもの

テイヤール・ド・シャルダンの進化思想は非常にユニークなものですが、思想の流れにおいて、突発的に出現したものではありません。思想史を学ぶと、そもそもどんな思想も突発的に出現するものではないということがわかります。テイヤール・ド・シャルダンの思想もその例外ではありません。

ロシアに、ロシア・コスミズムとよばれる思想の流れがあります。宇宙スケールで存在論、自然論、人間論を考えようとする立場で、生命圏(バイオスフィア)、精神圏(ヌースフィア)という発想も、彼らの中で生まれてくるのです。正確にいえば、精神圏(ヌースフィア)という概念は、彼らとテイヤール・ド・シャルダンたちとの交流を通じて生まれたといったほうがいいかもしれません。

ロシア・コスミズムの代表的人物として、ウラジーミル・ヴェルナツキー(一八六三〜一九四五)という人がいます。テイヤール・ド・シャルダンとほぼ同時代の人です。彼は、鉱物学、土壌学から出発して、やがて、地球全体を物質循環の立場から研究する地球化学(geochemistry)という新しい学問分野を築き上げた人です。

地球化学というのは、現代における最も重要な学問の一つで、環境科学は全部地球化学の上に乗っているといっても過言ではありません。ぼくは、大学の教養課程の学生には全員必修で地球化学をとらせるべきだ、くらいに思っています。まだとってない人はぜひとってください。授業でとらなくても本の一冊くらいはぜひ読んでください。

生物学の物質的基礎を考える上でも地球化学が基本です。鉱物資源とそれを利用してなされるあらゆる鉱工業生産、ひいては人間の経済活動全体を考える上でも——経済活動全体というのは生産の側面だけでなく、消費とそれに伴う廃棄物の問題まで含めてということですが——、地球化学的物質循環の考えが欠かせません。

我々人間は、地球の歴史が生み出した生物の進化の頂点として、この地球に生まれ、地球の上で利用できる限りの物質を利用しながら、生を営んでいるわけです。生の営みというとき、個体としての人間の肉体を生きた状態に維持していくためのあらゆる生命活動を含むと同時に、人間社会全体の共同活動を通じて、人間という種が全体として生存を維持していくための社会的生の営みの双方を含みますが、そのすべてが、基本的には物質過程です。その物質過程は、地球の上で閉じているわけですから、そのすべてが地球化学の対象です。

地球と生物の物質組成

地球の物質環境の基本は、この地球がどのような元素からできているかです。この地球がどういう元素からできているか知っていますか?

元素は一〇〇以上ありますが、多いほうからいって、鉄、酸素、珪素、マグネシウムの四元素で質量比九〇パーセント以上になります。これに、ほんの一、二パーセントしかない、ニッケル、イオウ、カルシウム、アルミニウムを加えると、九九パーセントになり、あとはみんなコンマ以下なんです。

だけどこれは、地球全体を考えたときの構成比で、実は、質量比で三五パーセントと一番多い鉄は、ほとんどが地球のコアの部分にあります。しかし、人間や生物の営みは地球の表面で行われているわけで、そこでは構成比がだいぶちがってきます。

地球の表面部分である地殻は、大陸部で深さ二〇~六〇キロメートル、海底部で五~八キロメートルありますが、地球全体の質量からすると、〇・四パーセントにしかなりません。

その九九パーセントが酸素、珪素、アルミニウム、鉄、マグネシウム、カルシウム、ナトリウム、カリウムです。なかでも圧倒的に多いのが酸素で、重量で約半分。体積でいうと、九四パーセントにもなります。というのは、ほとんどの物質が酸素との化合物の形で存在しているからです。

では、生物の元素構成はどうかというと、これは、地殻の元素構成とは全くちがいます。水素、炭素、酸素が圧倒的に多く、これに窒素を加えると、四つの元素で重量比九六・五パーセントにもなります。地殻であんなに多かった珪素は、ほとんどありません。

生物の体を分子レベルでみると、七割が水です。残りのほとんどがタンパク質、脂質、核酸、糖類などの巨大分子ですが、なかでもタンパク質が圧倒的に多いんです。水以外のものの六割までがタンパク質です。巨大分子は基本的に、炭素、水素、酸素、窒素の四元素でできているから、生物の体はこの四元素がほとんどということになるんです。生物というのは、地球の物質組成からみると、非常に特殊な組成になっているということです。

生物はこれらの元素をどこから取り込んでいるのかというと、呼吸する大気と、飲食物を通してですが、主として飲食物を通してです。窒素は容積比で大気の七八パーセントも占めるから、窒素は呼吸で取りこんでいるのだろうと思うかもしれませんが、人間には無機物の窒素を同化する能力がありません。大気の窒素を吸っても、それを利用できません。

人間は基本的に植物が作ってくれた窒素を含む生体高分子を食物としてとることで窒素を体内に取り入れています。同じように、炭素も食物中の生体高分子から摂取しています。植物が光合成によって炭酸ガスと水から作ってくれた生体高分子を食べることで、人間は生体を作る材料を獲得し、同時にエネルギー源にしているんです。

生物はこのような物質循環の中にあることによって生きているんです。地球上の物質循環には、無機物のガス循環、水循環もあります。それに岩石に含まれていた酸素がガスとして放出されたりといった地質学的循環もありますが、生体を構成する元素は、ほとんどが生物の世界の中で食べられたり、排泄されたり、合成されたり、分解されたりする独自の環境の中にあります。その循環の総体が作っているものが、生命圏（バイオスフィア）です。無機物の世界と有機物の世界はいたるところでつながっていますが、全体としては大きく別々の循環世界を作っているわけです。

自然界全体の物質循環を明らかにして、その中の特別な一部として生命圏（バイオスフィア）が成立しているということを明らかにしたのがヴェルナツキーの地球化学です。彼はこれを独自の学問領域として確立するために、地質学、生化学、生物学など、関連するあらゆる学問をマスターし、一人でアカデミーを作ることができるといわれたほど博識の学者になりました。

一九二九年には、世界で最初の生物地球化学研究所を設立して、その所長になっています。その少し前の一九二二年から二六年にかけて、フランスに招かれ、ソルボンヌで地球化学の講義をしますが、このときテイヤール・ド・シャルダンなどとの交流がはじまったのです。

コレージュ・ド・フランスに集った碩学たち

テイヤール・ド・シャルダンは、生命圏（バイオスフィア）という概念に感銘を受け、それを拡張することで、精神圏（ヌースフィア）という概念を作ったのです。

この概念が生まれるにあたっては、テイヤール・ド・シャルダンのもう一人の友人、エドワール・ル・ロワもかかわっています。ル・ロワは、コレージュ・ド・フランスの哲学の教授で、そのポストを前任者のベルクソン(1)から一九二一年に引きついだばかりでした。ル・ロワとテイヤール・ド・シャルダンは非常に親しく、当時二人は毎週水曜日の晩に会っては長時間の議論を重ね、ル・ロワは、その議論の中身をしばしばコレージュ・ド・フランスの講壇の上から、これはテイヤール・ド・シャルダンの考えだが、といって披露しました。ル・ロワの本の中には、「ここに紹介する見解はテイヤールと私とが何度も一緒に仔細に討議したものであり、われわれはそれを同じ順番でつなぎ合わせ、ほとんど同じ言葉で表現するにいたったので、それぞれの寄与を見分けることさえできなくなった」というくだりがあるほどで、二人の仲はきわめて親密だったようです。

ヴェルナツキーは、フランスに滞在していたとき、この二人の共通の友人になり、三人はしばしば会って討論を繰り返しました。生命圏(バイオスフィア)から精神圏(ヌースフィア)への展開もその討論の中で進むわけです。ル・ロワは、それを早速コレージュ・ド・フランスの講義の中で用いたので、世の中にいち早く知られるようになります。

コレージュ・ド・フランスというのは、一六世紀にできた、フランス独特の高等教育機関で、大学ではありません。すべての講義は無料で一般公開され、誰が聞きに行ってもいいんです。受講手続きもありません。試験ももちろんありません。その代わり、受講しても何の資格も免状も与えられません。数学、自然科学、哲学、歴史学、言語学など約五〇の講座が開かれていて、教授は自分の好きな研究をして、それについて自由に語るだけです。講義の内容は一般向けだからというので水準を落とすようなことはなく、相当高度です。したがって、聴衆の知的水準は高く、学者、研究者などがかなりいるといいます。フランスの知識人にとって、コレージュ・ド・フランスの教授になることは最高の栄誉とされ、過去の教授を見ても、フランス最高の知識人たちがならんでいます。たとえば、ベルクソンなどは二〇年あまりにわたってこの教授を務め、彼が講義をする日は、何時間も前から人々は席とりをし、入れない人々が外にあふれ、その人たちも聞けるように教室の窓が開け放たれたまま講義が行われたといいます。ベルクソンの他に、詩人のポール・ヴァレリー[2]、人類学のレヴィ＝ストロース、哲学のミシェル・フーコーなども、コレージュ・ド・フランスの教

(1) Henri-Louis Bergson（一八五九〜一九四一）　フランスの哲学者。パリ出身。形而上学、言語哲学などを研究。主著に『時間と自由』『物質と記憶』。

授であったことが知られています。

前に述べたように、テイヤール・ド・シャルダンは、この時期、イエズス会と衝突して、対外的な著述を禁じられていたのですが、ル・ロワとの間のこのような関係によって、ル・ロワの口を通して、コレージュ・ド・フランスの聴衆に語ることができたのです。

ル・ロワが死んだとき（一九五四年）、テイヤール・ド・シャルダンが友人に書いた手紙の中に、次のようなくだりがあります。

「一九二〇年から一九三〇年の間に、彼は私に信頼を寄せ、私の精神を押し広げ、また《人間化》や《精神圏》といった生まれたばかりの私の思想の代弁者までつとめてくれました（コレージュ・ド・フランスで）。《精神圏》という言葉は私が考えだしたものだと思っていますが、それを世に問うたのは彼でした」（C・キュエノ『テイヤールの生涯』W・グロータース、美田稔訳〈著作集第一〇巻〉）

ロシアの宇宙論者ヴェルナツキー

ヴェルナツキーは、ロシアに戻ってから、精神圏（ヌースフィア）という概念について、テイヤール・ド・シャルダンとはちょっとちがう方向に考えを押し進めていきます。

ヴェルナツキーは、「精神圏についての緒言」の中で、次のように述べています。「フランスの数学者でベルクソン派の哲学者でもあるル・ロワは、生物圏の基盤となるのが生物地球化学であるという、わたしの考えを受け入れた。一九二七年のパリのコレージュ・ド・フランスでの講義で彼は、生物圏が地質学的に経験している現段階を表わすために精神圏という概念を用いた。そのとき彼は、自分がこの考えを、現在中国で仕事をしている友人、すなわち偉大な地質学者、古生物学者テイヤール・ド・シャルダンと共同で作りあげたことを強調した。

精神圏はわたしたちの惑星の新しい地質学的現象である。この惑星においてはじめて人間が最大の地質学的な力となったのだ。人間には、自分の労働と思考とによって自分の生の領域を作り変える力、しかもかつてとは違い、根底的に作り変える力があ

(2) Ambroise Paul Toussaint Jules Valéry(一八七一〜一九四五)フランスの詩人、小説家、評論家。二〇世紀フランスを代表する知性と称された。主著に『レオナルド・ダ・ヴィンチの方法序説』『テスト氏』『精神の危機』など。

り、また義務がある。人間の前に創造の可能性が開け、その可能性はますます広がりつつある」（S・G・セミョーノヴァ、A・G・ガーチェヴァ編著『ロシアの宇宙精神』西中村浩訳、せりか書房）

テイヤール・ド・シャルダンにおいては、主として頭の中の営為、頭脳活動、意識世界の所産としてとらえられていた精神圏が、ここでは、人間活動の地球環境に対する働きかけとしてとらえられています。

「鉱物学的に珍しいもの――自然鉄――はいまでは何十億トンも作り出されている。わたしたちの惑星にかつて存在したことのなかった自然アルミニウムは、いまではいくらでも生産されている。同じことは、地球上で作り出される無数の人工的な化学化合物（生物起源の文化的な鉱物）について起こっている。こうした人工的な鉱物の量は絶えず増大している。あらゆる戦略物資もそのひとつである。

惑星の相貌――生物圏――は人間によって意識的に、だが主として無意識のうちに、化学的に大きく変えられつつある。陸地を覆う空気の層、陸地の自然の水は、人間によって物理的・化学的に変えられつつある。（中略）人間によって新しい種や品種の動植物が作り出されている。

未来は実現可能なおとぎ話の夢として描きだされる。人間は自分の惑星の外の宇宙空間に出ようとしている。おそらく、出ていくことだろう」(同前)

この文章が書かれたのは、一九四〇年で、まだ宇宙空間に出ることなどは、ほとんどおとぎ話程度にしか考えられていなかった時代ですが、はっきり人類は宇宙に出ていくだろうと予言しています。

実はこういう考えは、もっと前からあったのです。だからこそ、ロシア・コスミズムというのですが、それはまた後に述べることにして、ここでもう一つ注目しておくべきは、動植物の新しい種を作るなど、バイオ技術の進展も展望されていることです。

その延長上で、ヴェルナツキーは、人類は将来、独立栄養生物に自己を作り変えなければならないと主張しています。

独立栄養生物というのは、光合成、炭酸同化作用ができて、太陽エネルギーと無機物さえあれば生きていける生物(ほとんどが植物)です。動物はそれができないから、独立栄養生物を食べることでエネルギーと栄養分を得なければならない(従属栄養)わけです。

ヴェルナツキーは、このことが、人間の存在条件をいちばん強く規定してきたといいます。

「人間の生命全体、その社会的な体制全体が、その歴史を通じてずっとこの必要性によって規定されてきた。最終的にはこの抑えがたい欲求が人間世界を支配し、その歴史全体を、そしてまたその存在全体を作りあげている。最終的な要因となっているのは避けがたい飢饉であり、それはひとつの社会の体制全体を動かす無慈悲な力になろうとしている」（「人類の独立栄養性」『ロシアの宇宙精神』）

人間が独立栄養能力を獲得できれば、飢えからの解放が可能になるわけです。また、生きるためには他の生命を奪わねばならないという殺生の宿命から逃れられるわけです。それが可能かといえば、有機化学を発達させて、食物を無機物から直接合成できるようにすればいいわけです。これが実現したら、人間のあり方は根底的に変わるだろうし、またそうすべきであるとヴェルナツキーはいいます。

現代においては、そういう技術がある程度開発されていますが、コストと嗜好と安全性の面から、人間は従属栄養生物にとどまっています。

人間が完全に独立栄養生物になれるかどうかは、生理学、生化学上の検討が必要だろうし、またそうなったときの精神面、心理面の変化まで考える必要があるでしょう。しかし当時は、科学技術の発達にはマイナス面もありうるという警戒心があまりなく、こういう夢のような話が素朴かつ楽観的に信じられていました。

宇宙開発の先駆者ツィオルコフスキーが描く未来生物

実は、人類の宇宙開発の最大の先駆者であるツィオルコフスキーの宇宙論もそういうところから出発しているんです。ツィオルコフスキーは、宇宙飛行の基礎理論とロケット設計の基礎理論を最初に（一九〇三年）作った人で、いまの宇宙開発はすべて彼の理論の上に組み立てられているといってもよいほどの人ですが、必ずしも冷徹な技術者ではなく、近い将来に実現可能とはとても思えない、夢のような計画をたくさん立てていた人でした。

『ロシアの宇宙精神』所収の「宇宙の一元論」（一九二五）の中で、次のように書いています。

「未来の技術によって、地球の引力に打ち勝ち、太陽系全体を旅行することができるようになる。人間はその惑星のすべてを訪れ、研究するようになる。（中略）太陽のまわりに人工の住居ができ、小惑星、惑星、その衛星などから物資が運んでこられる。そのおかげで地球の人口の二十億倍の数の人々が生存できるようになる。そうした人々の一部は地球がその余剰人口を天空の植民地に提供したのであり、他は移住者たち自身の人口が増加したのである。人口の増加は恐ろしく急速になるだろう。卵（卵細胞）と精子の大部分が利用されるようになるからだ。

太陽のまわりの小惑星の近くでは、何十億もの生物が成長し、完成されていくだろう。さまざまな大気、さまざまな重力のなかで、さまざまな惑星で生きるのに適した種、真空や希薄な気体のなかでの生存に適した種、食物を摂取する種、食物を摂取しないで、太陽の光だけで生きる種、熱に耐える生物、寒さに耐える生物、気温の急激で大きな変化に耐える生物など、完成された生物の非常に多彩な種が生み出される。

しかし、支配的となるのは、エーテルの中で生き、（植物のように）直接太陽エネルギーを活動源とする、もっとも完成されたタイプの有機体である。

わたしたちの太陽系全体の入植が終わったあと、わたしたちの銀河系にある他の太陽系への入植がはじまる。（中略）地球は完全な種が銀河のあちこちに住みはじめるための出発点なのだ」

この時代は、エーテルがないことを証明したアインシュタイン以前ですから、まだエーテルの存在が信じられていたのです。彼のいう「エーテルの中で生き、（植物のように）直接太陽エネルギーを活動源とする、もっとも完成されたタイプの有機体」という考えは、ヴェルナツキーのいう、独立栄養生物になる未来人間と同じような発想です。

スプートニク[3]とガガーリン[4]で、ソ連の宇宙時代が幕を開けると、ツィオルコフスキーは宇宙技術の父とあがめられ、ソ連全土の公的場所にツィオルコフスキーの肖像がかかげられ、「人類が永遠に地球上にとどまることはない。光と空間を追い求めて、はじめはおずおずと大気圏の外に出ていき、それから太陽を取り巻く空間を獲得するのだ」というツィオルコフスキーの言葉がその下に書かれたといいます。

（3）一九五〇年代にソ連が進めた無人人工衛星計画の名称。一九五七年には人類初の人工衛星としてスプートニク一号の打ち上げを成功させ、アメリカを出し抜いた。危機感を強めたアメリカでは「スプートニク・ショック」が起こり、宇宙開発競争が激化した。

（4）Юрий Гагарин（一九三四〜六八）ソ連の軍人、パイロット。宇宙飛行士。一九六一年、ボストーク一号に搭乗し、世界初の有人宇宙飛行を達成。「地球は青かった」の言葉を残した。

　こういう言葉を聞くと、ツィオルコフスキーが、いまの宇宙開発時代のスペースステーションとかスペースコロニーのようなものをイメージしていたと思うかもしれませんが、ぜんぜんそうではないんです。

（ツィオルコフスキーの「宇宙旅行アルバム」におさめられた自筆のスケッチを示して）これが彼が思い描いていたものなんです（図10）。これが彼の考えた太陽のまわりに作られる人工の住居なんです。まるで、足のないユーレイがフワフワ空中を漂っているという感じでしょう。彼は宇宙空間では無重力状態になると知っていましたから、こういうイメージになったんです。宇宙空間はエーテルで満たされていて、エーテルの中で生き、太陽エネルギーだけで生きられるとすると、こういうことになるんです。彼はこの未来生物をこう考えていました。

「わたしたちの現在の存在を限定しているすべての条件（栄養も含めた文字通りすべての条件）から最大限に独立した、未来の生物を想像しようとする。そして、想像しうる現実的な独立栄養のモデルを詳細に描いてみせる。それは外界から完全に隔絶され、排泄器官をもたない生物である。そのなかには光線だけが入っていく。光線は血液のなかに溶けた葉緑素、炭酸ガスを分解し、分解したものを酸素、糖、澱粉、窒素化合物その他の栄養分に変える。そうした栄養分が『栄養』となって『動物のコスモス』の組織を作りあげる。次の段階では再び分解と分解したものの合成が行なわれる。尿素やアンモニアは器官から排泄されずに、肥料や気体や無機物が植物にとって果たすのと同じ役割を果たし、太陽の光エネルギーがそれらを栄養分と酸素に変え、それがこの驚くべき創造物の筋肉や神経系や脳の『燃料』となる。こうして中断や終わることのない閉じた交換過程のサイクルができあがる。これは一種の生物学的な『永久機関』[5]といってもよいだろう。この生物の質量は、ツィオルコフスキイによると、不変

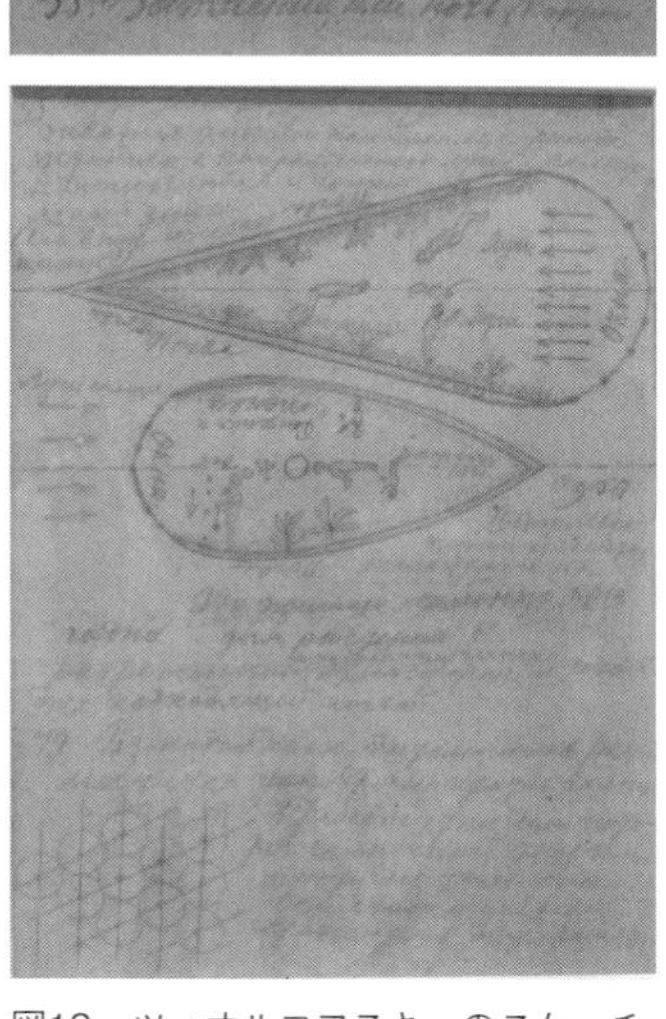

図10　ツィオルコフスキーのスケッチ

である。『それは生き、考え、行動する。死なないと考えることもできる』。それは真空のなかでも、エーテルのなかでも、重力のないところでも、『宇宙に無尽蔵にある光のエネルギーさえあれば』、どこにでも住むことができる」（コンスタンチン・エドゥアルドヴィチによるツィオルコフスキイについての解説、『ロシアの宇宙精神』）

人間にはさまざまな肉体的、知的、社会的欠陥があるが、それを訓練、淘汰、交配、手術などによってどんどん改良していき、何十世紀もかけて能動的進化をはかっていけば、人類はいずれはこのような未来生物に進化していけるだろうと考えたのです。人間の最高の目的は死の克服だが、このような未来生物は死なないと考えることもでき、死はここに克服されるというわけです。

このような未来生物が、地球から太陽系全体に進出し、さらには銀河系に進出し、やがて宇宙全体に広がり、いずれはデシリオン（＝10^{60}）もの未来生物が宇宙のすみずみまで満たすようになるだろうと考えました。そうなるまでにまだ何十億年かかるだろうが、そのような未来を考えれば、現在の宇宙はまだ生まれたばかりの幼年期にあるといってもよいといいます。

そのような未来のかなたで、人類は神の領域に入っていくといいます。

「彼の思考ははるかかなたの数十億年先の能動進化が究極を迎える時代へと飛び立つ。そのときすでに全能となった人類は、存在する自然法則（エントロピーと『熱の死』を予告する熱力学第二法則）の活動を止め、時間と空間を支配し、物質とエネルギーを自由に変形させ、光を放つ霊的な状態に入る。しかし、そこから人類は再びもとの粒子的、物質的な状態にもどることができるのであり、まだ想像することもできないより高次の段階での発展のサイクルを繰り返して、ありうべき最終的な神的、『涅槃的な』完成状態へもどることができる」（同前）

このような存在になったとき、それは神々の一人になったといってもよく、そのような存在で宇宙が満たされることは宇宙が神化することだといってもよいといいます。

ツィオルコフスキーの宇宙進出の夢は、科学的というより、このような一種神秘主

（5）外部からエネルギーを与えられることなく何らかの仕事をしつづける装置。一八世紀以来、多くの技術者が精力的に開発しようとしたが、一九世紀に確立した熱力学第一法則（エネルギー保存則）により、実現不可能であることがわかった。

義的展望の下に描かれていたのです。これまで伝えられていた宇宙開発の先駆者というイメージとぜんぜんちがうでしょう。ツィオルコフスキーのこのような側面はソ連時代はずっと隠されたままで、ソ連崩壊後はじめて一般に知られてくるのです。ツィオルコフスキーだけでなく、ロシア・コスミズムの潮流全体がそうです。

モスクワのソクラテス

ロシア・コスミズムの源流として知られるのが、ニコライ・フョードロフ（一八二九〜一九〇三）です。ツィオルコフスキーは、少年時代に耳が聞こえなくなったため、まともな教育も受けていない、独学の徒なのですが、そのツィオルコフスキーにあらゆる学問を授けたのが、ロシア最大の図書館であったルミャンツェフ図書館（革命後のレーニン図書館。現在はロシア国立図書館と名前を変えている）の伝説的司書、フョードロフなのです。この図書館に毎日決まった時間に通い、フョードロフがすすめる本を次々に読むことで彼は宇宙科学を学び、宇宙哲学を作っていったのです。

ツィオルコフスキーは、この図書館が自分の大学であったといい、フョードロフが自分の大学教授だったといっています。

「チェルトコフ図書館で、彼はひとりの図書館員と宿命的な出会いをする。この人物は当時まだ無名であったが、類稀な百科全書的な教養を持ち、変容された不死の人間、そして不死の人間の宇宙的な未来という壮大な夢をその心の奥に秘めていた。しかもそれは単なる夢想ではなく、哲学的に深く考察され、たくさんの具体的な計画（プロジェクト）を伴っていた。ツィオルコフスキイは、自分を驚かせたこの『並外れて善良な顔』をした人から受けた印象を『わたしの生涯の特徴』で次のように書いている。

『その後、同じような顔をした人物に出会ったことがない。おそらく顔は魂の鏡だというのは本当なのだ……。彼はわたしに禁書を貸してくれた。のちにこの有名な禁欲主義者フョードロフがトルストイ[6]の親友であり、驚くべき哲学者であり、慎ましい人であることを知った』」（同前）

（フョードロフの肖像を示して）これがフョードロフです（図11）。生前彼は自分のことを[7]誰にも書かせず、また誰にも肖像を描かせたりしなかったのですが、パステルナークと

（6）Лев Толстой（一八二八～一九一〇）　ロシアの作家。ナポレオン軍に対抗するロシア民衆の姿を描いた歴史小説『戦争と平和』の他、『アンナ・カレーニナ』『イワンのばか』『復活』などの作品を残した。

図11　フォードロフの肖像

いう画家が秘かにスケッチしたものがこれなんです。

フォードロフというのは実に不思議な人物でして、ツィオルコフスキーだけでなく、トルストイ、ドストエフスキー[8]、ゴーリキー[9]、マヤコフスキー[10]などにもきわめて強い影響を及ぼしています。ドストエフスキーは、彼の思想を「まるで自分の思想のように読んだ」といい、トルストイは、「こういった人物と同じ時代に生きられることを誇りに思う」とまでいっています。最高の知識人たちから、最高の尊敬をかちえ、「モスクワのソクラテス」とまでいわれた人です。

彼は、公式には、図書館の一司書にすぎなかったのですが、ルミャンツェフ図書館の本を全部読んだにちがいないといわれるほど博識で、聞かれると、誰にでも惜しみなく自分の知識を与えました。

その生活は驚くほど禁欲的で、ほとんど聖者のそれに近いといわれました。スヴェトラーナ・セミョーノヴァの『フョードロフ伝』によると、その生活はこんな風でした。

「四時過ぎにルミャンツェフ博物館から自宅の小さな部屋に戻り、たいていはパンと砂糖ぬきの紅茶で夕食をとり、何も敷いていない固い長持ちのうえで数冊の本を枕代わりに一時間半ほど仮眠し、それから読書をし、午前三時から四時まで書きものをする。そしてさらに二、三時間眠ってから再びお茶を飲み、七時から八時ぐらいに図書館に出勤する。こうした生活が死ぬまで続いていった。彼はいつも徒歩で動きまわり、娯楽には一文たりとも使わなかった。冬と夏、彼はカツァヴェイカと呼ばれる同

---

(7) Леонид Пастернак（一八六二〜一九六〇） ウクライナ出身。ロシアの印象主義美術の画家。息子のボリスは、第一次世界大戦とロシア革命に翻弄される医師ジバゴの生涯を描いた大河小説『ドクトル・ジバゴ』の作者として知られる、作家、詩人のボリス・パステルナーク。

(8) Фёдор Достоéвский（一八二一〜八一） ロシアの作家。代表作は『罪と罰』『白痴』『悪霊』『カラマーゾフの兄弟』など。混迷を深める社会の中で苦闘する人間心理を深く追求した。

(9) Максúм Гóрький（一八六八〜一九三六） ロシアの作家。下層社会で生きる人々の生活を描く作品を発表した。代表作は戯曲『どん底』。

(10) Владúмир Маякóвский（一八九三〜一九三〇） ソ連の詩人。革命運動に身を投じたが、後にスターリン主義と対立した。代表作は長詩『ズボンをはいた雲』、戯曲『南京虫』など。ピストル自殺した。

じ古びたシングルのコートを着ていた」（安岡治子・亀山郁夫訳、水声社）

歩くときは、冬でも裸足でした。いくらでもない給料は、ほとんどすべて貧しい人たちにわけ与えるため、給料日になると、貧しい人たちが図書館に列をなしたといいます。

物質的欲望を示すことはぜんぜんなく、性的欲望も示さず（性的不能とか同性愛ではなく、あえて禁欲していたといわれます）、親しい人間関係も作らず、完全に孤独な、苦行僧のような生活をつづけました。

次第にフョードロフの評判は高くなり、図書館が閉館になる午後三時以降や日曜日（彼は日曜日も出勤していました）になると、モスクワの有名人がたくさん集まってきて、彼がいる図書館の目録室が文化人の談話クラブのようになったといいます。

なぜそれほど多くの人がフョードロフのもとに集まったかというと、彼が独特の思想を持っており、それに引きつけられたからです。

ではそれがどのような思想であったかというと、これが簡単には説明できません。そもそも彼は生前一冊もまとまった書物を書いていないんです。その思想はもっぱら口伝えで人から人に伝わっていったんです。ただ本を書こうとしていたことはあり、そのために書かれた原稿もあることはありました。それをフョードロフの死後、弟子たちが編集して『共同事業の哲学』という本にして、出版しています。第一巻が一九〇六年、第二巻が一九一三年に出ていますが、その後、ロシア革命が起き、フョードロフのような思想は排斥され、一時はフョードロフの本を持っているというだけでラーゲリ(収容所)送りになる人も出たくらいですから、完全に無視されつづけました。結局、はじめて著作集が出たのが一九八二年。一九九五年から刊行がはじまった全集はいまも刊行中というところです。

全人類の共同事業

実はフョードロフの思想は、本人が書いた書物よりも、彼の思想の影響を受けた人がそれをさらに展開して、自分自身の書物にするという形で間接的に伝えられているものが多いのです。たとえば、先のツィオルコフスキーの能動進化の思想とか、未来人類の宇宙への展開といった考えもフョードロフから来ているのです。ヴェルナツキーの能動進化論もそうです。

ドストエフスキーの思想と考えられているものも、実は相当部分がそうなのです。ドストエフスキーの『カラマーゾフの兄弟』を読んだことがある人はどれくらいいるかな？（パラパラと手があがる。）そんなに少ないの？　いまの若い人は世界文学を読まなくなったといわれるけど、本当だね。ぼくらの若いころは、『カラマーゾフ』はちょっとものを考える学生の間では必読とされていて、特に「大審問官」のくだりなんかは、読まなくてもみんな知っていたものだけどね。駒場キャンパスには、「ドストエフスキー研究会」というのがあって、ぼくも入っていました。読んでない人には説明がむずかしいけど、あの小説ではアリョーシャという末の弟が主人公になっていて、アリョーシャに最も強い思想的な影響を与える人物としてゾシマ長老というのが出てくるでしょう。あれがフョードロフをモデルにした人物なんです。『カラマーゾフ』を読んでいる人は、（先の肖像画をもう一度示して）これを見て、なるほどこれはゾシマ長老のイメージだと思うでしょう。

あるとき、フョードロフの弟子の一人が、彼の思想のある部分を要約してドストエフスキーに送ったんですね。すると、ドストエフスキーはすごく感激して、『作家の日記』の中で、「これらはすべて若々しく、みずみずしく、観念的で非実際的だが、原則においては完全に正しく、たんに誠実というだけでなく、苦悩と痛みをもって書かれている……。私はこの論文に感謝する。というのは、この論文は私に並外れた満足をもたらしてくれたからだ。これ以上に論理的なものはまれにしか読んだことがない」と書いたりしています。

そこで、弟子がさらに多くの思想の要約を送ると、次のような手紙を送ってきます。

「まず第一に質問です。あなたが伝えて下さったこの思想の主はだれなのでしょうか？　できればその人の本名を教えて下さい。私は彼にあまりにも興味をかき立てられています。少なくとも、たとえばその顔つきでもいい、何でも結構ですから彼に関して伝えてください。次に言いたいことは、本質において私はこれらの考えに完全に同意見だ、ということです。それらの考えを私はまるで自分の考えであるかのように読み通しました」（『フョードロフ伝』）

そして、この人の思想をもっと知りたいといってきたのです。実はここまでは弟子が勝手にやっていたのですが、ここまで来て、フョードロフにいわないわけにはいかなくなり、フョードロフは自らそれを執筆しようとしますが、それが四年もかかるうちに、ドストエフスキーは亡くなってしまいます。このときフョードロフがまとめたものが、後の『共同事業の哲学』になるんです。

共同事業とは何なのかというと、全人類が力を合わせて、より高次の存在に能動進化（意識的にコントロールされた進化）をとげていくことなんです。そして、地球レベルはもちろん、宇宙レベルで自然を統御していくことなんです。彼は、自然現象をすべてコントロールしなければならないといいます。そのためには、宇宙に進出して、宇宙の住民になり、宇宙現象をコントロールすることも必要になるといいます。人間の能力をさらにグレードアップするために、人間の肉体も改変しなければならないだろうといいます。先に紹介したようなツィオルコフスキーのほとんど霊的存在になった未来人間という考えは、もっぱらフョードロフから来てるんです。そういうことを可能にするためには、人類の知を統合しなければならないといいます。すべてを知の対象として、すべての人が研究者になり、すべての人が認識者にならなければならないといいます。

それは何のためにかというと、人間にとって最高の幸福と思われるものすべてを獲得するためだといいます。そのためには人間の最大の敵である死を克服しなければならないといいます。また悪を滅ぼさなければならないといいます。

悪というのは、結局のところエントロピーの増大が生む崩壊現象、秩序が失われた状態、世界の欠陥状態、「落下」、未完成状態だから、それに対抗するためには、全世界を合理的自覚を持って反エントロピーの方向に動かしていくことが必要で、そのために全人類が総力をあげることが、人類の共同事業だというわけです。「自然の盲目の力を統御し、操ることは、人類が共同で行なうことができ、また共同で行なわなければならない偉大な事業なのだ」（S・G・セミョーノヴァによる『共同事業の哲学』からの引用、「序論」『ロシアの宇宙精神』）といいます。

フョードロフの思想は、あまりにも壮大だから、ここでその全容を紹介するというわけにはいきませんが、大事なポイントは次の一点です。「世界は、眺めるために与えられたものではない。世界を観照[11]することが人間の目的ではない。人間は常に、世界に対して作用を及ぼすこと、自分の望むがままに世界を変えることが可能であると考えてきた」[12]（『著作集』）

実は、マルクス主義の最も基礎になるテーゼとして、マルクスのフォイエルバッハ

（11）個人の考えを交えず、客観的に物事を観察し、光を照らすように本質を明らかにすること。

にかんする一一のテーゼというのがありまして、その一一番目が、

「哲学者は世界をただいろいろに解釈しただけだ。しかし、だいじなことは、それを変革することだ」

というんです。これと似てるでしょう。

ぼくらが大学に入ったころ、学生運動をやっている連中は、何かというとこのテーゼを引用して、学生をデモに引っぱり出そうとしたものです。ぼくにいわせると、世界を解釈することも世界を変革するのと同様に大切です。世界の観照、世界の解釈がまず正しくなされないことには、世界の変革は不可能です。それなしの変革は、盲目的になり、エントロピー増大の方向に向かうだけです。それは進化ではなく、退化です。

(12) Karl Marx（一八一八〜八三）　ドイツ出身の哲学者、経済学者、革命家。一八四八年、エンゲルスと共に『共産党宣言』を発表し、史的唯物論を確立。主著『資本論』で、資本主義経済の仕組みを追究し、社会主義革命の必要性を説いた。

本書は、月刊『新潮』に連載された「東大講義『人間の現在』」の第一三回（一九九八年七月）から第二四回（一九九九年七月）までを一冊にまとめたものである。同連載は、著者が東京大学教養学部で一九九六年の夏学期に行った同名の講義をもとにしている。

N.D.C.209 398p 18cm
ISBN978-4-06-522530-1

編集協力：緑慎也

講談社現代新書 2605

サピエンスの未来 伝説の東大講義

二〇二一年二月二〇日第一刷発行 二〇二一年九月二八日第五刷発行

著 者 立花 隆 ©Takashi Tachibana 2021

発行者 鈴木章一

発行所 株式会社講談社

東京都文京区音羽二丁目一二—二一 郵便番号一一二—八〇〇一

電 話 〇三—五三九五—三五二一 編集（現代新書）
〇三—五三九五—四四一五 販売
〇三—五三九五—三六一五 業務

装幀者 中島英樹

印刷所 豊国印刷株式会社

製本所 株式会社国宝社

本文データ制作 講談社デジタル製作

定価はカバーに表示してあります Printed in Japan

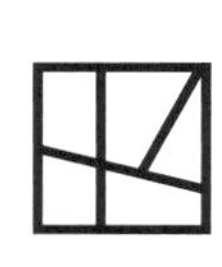

「講談社現代新書」の刊行にあたって

教養は万人が身をもって養い創造すべきものであって、一部の専門家の占有物として、ただ一方的に人々の手もとに配布され伝達されうるものではありません。

しかし、不幸にしてわが国の現状では、教養の重要な養いとなるべき書物は、ほとんど講壇からの天下りや単なる解説に終始し、知識技術を真剣に希求する青少年・学生・一般民衆の根本的な疑問や興味は、けっして十分に答えられ、解きほぐされ、手引きされることがありません。万人の内奥から発した真正の教養への芽ばえが、こうして放置され、むなしく滅びさる運命にゆだねられているのです。

このことは、中・高校だけで教育をおわる人々の成長をはばんでいるだけでなく、大学に進んだり、インテリと目されたりする人々の精神力の健康さえもむしばみ、わが国の文化の実質をまことに脆弱なものにしています。単なる博識以上の根強い思索力・判断力、および確かな技術にささえられた教養を必要とする日本の将来にとって、これは真剣に憂慮されなければならない事態であるといわなければなりません。

わたしたちの「講談社現代新書」は、この事態の克服を意図して計画されたものです。これによってわたしたちは、講壇からの天下りでもなく、単なる解説書でもない、もっぱら万人の魂に生ずる初発的かつ根本的な問題をとらえ、掘り起こし、手引きし、しかも最新の知識への展望を万人に確立させる書物を、新しく世の中に送り出したいと念願しています。

わたしたちは、創業以来民衆を対象とする啓蒙の仕事に専心してきた講談社にとって、これこそもっともふさわしい課題であり、伝統ある出版社としての義務でもあると考えているのです。

一九六四年四月　野間省一